MILLIONNAIRE
ET
CÉLIBATAIRE

JOANNE SIMON

MILLIONNAIRE ET CÉLIBATAIRE

QUELLES BELLES SURPRISES ME RÉSERVE LA LOTERIE

BÉLIVEAU
★
éditeur

Conception de la couverture : Jean-François Szakacs
Photographie de la couverture : iStockphoto

Tous droits réservés
© 2013, BÉLIVEAU Éditeur

Dépôt légal : 3e trimestre 2013
Bibliothèque et Archives nationales du Québec
Bibliothèque et Archives Canada

ISBN 978-2-89092-601-1

BÉLIVEAU
————★————
é d i t e u r

920, rue Jean-Neveu
Longueuil (Québec) Canada J4G 2M1
Tél. : 514 253-0403/450 679-1933 Téléc. : 450 679-6648

www.beliveauediteur.com
admin@beliveauediteur.com

Gouvernement du Québec – Programme de crédit d'impôt pour l'édition de livres – Gestion SODEC – www.sodec.gouv.qc.ca.

Nous reconnaissons l'aide financière du gouvernement du Canada par l'entremise du Fonds du livre du Canada pour nos activités d'édition.

IMPRIMÉ AU CANADA

À mon fils,
parfois nous avons l'impression
d'avoir oublié presque la totalité
de ce que nous avons appris.
J'aime croire que c'est pour
laisser place à l'essentiel.

À ma fille,
si ton intuition te dicte
de changer de route,
écoute-la impérativement
et ne regarde pas derrière.

Table des matières

TROISIÈME PARTIE

LA CRITIQUE FÉMININE LIBÉRATRICE !

QUATRIÈME PARTIE

LA PRISE DE POSITION PREND FORME...

TOUT SE PRÉCISE !

Tous les noms qui apparaissent dans cet ouvrage ont été modifiés.

Avant-propos

IL EST DIFFICILE DE DIRE POURQUOI, MAIS LA LOTERIE EXERCE UN POUvoir de fascination chez la plupart des gens. Certains en rêvent, planifiant même jusqu'au moindre détail leurs futurs achats. D'autres, par contre, n'y voient qu'une vaine utopie. Ils sont convaincus que le moindre dollar dépensé dans ce but n'est que pure perte. Mais la réalité est qu'un nombre impressionnant de gens ordinaires en ont fait une habitude, un peu comme l'achat du journal. Juste pour voir les gros titres. En fait, c'est simple. À ce jeu, tout le monde est égal. Tous peuvent gagner. Et chacun peut aspirer aux promesses de bonheur qui semblent incluses avec le billet gagnant.

Il y a presque dix ans, mon père a été l'un de ces chanceux. Le matin de ce fameux samedi, lire son journal lui a valu dix millions de dollars! Après les premiers moments d'euphorie et d'incrédulité, la poussière est retombée doucement. Bien entendu, la vie a retrouvé un certain rythme mais il est très différent. La famille a graduellement établi son nouvel équilibre dans cette existence de millionnaire. Ce n'est une surprise pour personne, bien des choses ont changé.

Quelques années plus tard, des bouleversements majeurs dans ma vie ont fait en sorte que j'ai ressenti le besoin de faire un bilan. J'ai voulu vérifier si tout cet argent tombé du ciel avait vraiment amélioré notre sort. Et si le bonheur promis avec le billet gagnant était au rendez-vous. En fait, ce sont les nombreuses interrogations des gens qui vérifient leurs billets chaque semaine. N'y a-t-il vraiment que des histoires d'horreur ? Parce que ce sont celles-là que l'on retient. J'ai tenté d'y répondre en me basant sur ma propre expérience. Les nouveaux loisirs, les nombreux voyages, la belle vie, en fait ! Jusqu'à quel point cela nous a-t-il transformés ? Est-on plus heureux ? C'est justement le fruit de cette réflexion qui a fait l'objet de mon premier livre, *Millionnaire du jour au lendemain*.

L'histoire se termine avec la rupture de mon couple... comme bien des gens l'ont vécu avant moi. Jusque-là, il n'y a rien d'exceptionnel. Mais je dois avouer que je ne peux trouver un meilleur point de départ pour une nouvelle aventure en tant que célibataire ! J'ai vécu les derniers mois de ma relation de couple comme une agonie qui n'en finit plus. Les millionnaires n'échappent pas à la règle. Voilà la première leçon que j'ai apprise ! Cette constatation est suffisante pour ouvrir une nouvelle brèche dans ma sacrosainte assurance. Il n'en faut pas plus pour me plonger dans la quête du moindre indice pouvant m'amener à comprendre ma nouvelle réalité. Encore une fois, le besoin de réflexion est criant. Et les questions qui m'assaillent à ce sujet méritent certainement des réponses. D'autant plus que la quarantaine amène une perspective additionnelle. De quoi enrichir le portrait de façon spectaculaire ! Voilà qui promet une toute nouvelle vision des choses. En tant que débutante dans cette nouvelle sphère, j'ai l'intention d'être une bonne élève et de bien faire mes devoirs, car il semble évident que j'ai beaucoup à apprendre. Et comme de nombreux intervenants se montrent bien disposés à me faire découvrir ce nouvel univers où gravitent les âmes solitaires, autant en profiter !

Mais ce n'est pas tout. Non seulement l'âge mûr vient-il brouiller les cartes, mais un autre élément vient carrément dominer tout le jeu. Bien sûr, c'est l'argent. Le billet gagnant semble avoir ses tentacules dans toutes les sphères de ma vie. Pourquoi ma vie amoureuse ferait-elle exception ? S'introduire dans le merveilleux monde des célibataires est une chose, mais y ajouter le qualificatif de millionnaire nous amène radicalement sur une autre planète. Je connais bien les deux mondes, séparément. Mais la fusion des deux représente l'inconnu. Célibataire et millionnaire. C'est le nouveau chapeau qui me coiffe dès maintenant. Et c'est avec lui que j'évoluerai durant les prochains mois. C'est une aventure qui promet !

Introduction

JE SUIS AU SALON DU LIVRE, ET DEUX FEMMES S'APPROCHENT DE MOI. Visiblement, le sujet les interpelle. «Vous savez, moi, je n'aimerais pas gagner à la loterie, parce que l'argent rend malheureux!» me confie l'une d'elles. Avant que j'aie le temps de dire quoi que ce soit, son amie répond: «C'est facile de dire ça, tu en as de l'argent, toi!»

Cet épisode illustre parfaitement bien l'étrange relation que nous avons avec l'argent. Et le lien que nous faisons avec le bonheur. Il n'est donc pas étonnant que le sujet me passionne depuis qu'un billet gagnant s'est retrouvé entre les mains de ma famille.

En fait, je crois que l'argent ne change pas vraiment les gens, il ne fait qu'accentuer leur vraie nature. Ainsi, un amoureux du pouvoir verra dans l'argent un outil supplémentaire pour arriver à ses fins. Alors que celui dont la philosophie de vie est de vivre au jour le jour aura tendance à dilapider les fonds très rapidement.

Évidemment, notre vision de l'argent est influencée par d'autres facteurs, comme notre degré de maturité et nos expériences passées. Mais la base fondamentale de notre rapport à l'argent se situe incontestablement au niveau de nos valeurs, celles-là mêmes qui nous ont été transmises par nos parents et notre entourage. S'ajoutent à cela les possibles réactions totalement irrationnelles qui peuvent survenir lorsqu'une somme impressionnante tombe du ciel. Malheureusement, personne n'est à l'abri de cette calamité ! Bien entendu, cela ne relève que de mes observations personnelles.

Mais qu'en est-il d'une millionnaire de la loterie qui bascule soudainement dans le monde des célibataires ? C'est l'une des nombreuses questions auxquelles j'aimerais bien trouver une réponse.

Toute rupture est une étape difficile à traverser, cela va de soi. Je profite de la mienne pour amorcer cette réflexion. Plusieurs interrogations sont à l'ordre du jour, comme l'impact de la quarantaine. Les expériences passées laissent leurs marques et font peut-être en sorte que la flexibilité n'est plus celle d'avant. En somme, on sait ce que l'on veut, mais surtout ce que l'on ne veut pas. Les compromis sont-ils plus difficiles ? Et s'ils n'étaient plus nécessaires, puisque l'argent est maintenant de la partie. Plus aucune concession, terminées les déceptions ! Est-ce que les millions font en sorte que l'on refuse désormais de croire aux illusions du couple ?

L'un des changements majeurs qui suivent le gain à la loterie est la sécurité financière. Donc l'indépendance ! Est-ce suffisant pour rayer complètement de la carte l'option vie de couple ? Il est probablement moins contraignant de s'en tenir aux « très bons amis occasionnels ». Certaines femmes célibataires indépendantes préfèrent régler le problème en socialisant entre elles. Ce petit cercle fermé, hermétique aux hommes, est une autre possibilité. Encore une avenue à explorer !

Quant au billet de loterie gagnant, celui qui a changé ma vie, garder le secret est sans doute primordial. À moins que le candidat soit digne de confiance. Encore faut-il être en mesure de juger. Et, puisqu'on y est, faut-il évaluer la situation financière de monsieur ? Juste pour s'assurer qu'il ne profitera pas de la situation et qu'il pourra suivre le rythme.

J'entreprends ma période de réflexion en ne sachant pas ce qu'il y a devant. Je n'ai absolument aucune attente. Je prends le

train pour une destination inconnue. Des escales se présente-
ront certainement en cours de route. J'ai le goût de visiter tous
ces relais pour découvrir leurs richesses, ce qu'ils ont à offrir. Je
m'apprête à expérimenter un tout nouvel itinéraire, celui d'une
célibataire millionnaire.

Première partie

Place à la liberté
du célibat !

Chapitre 1

Le mur de la réalité, quel choc!

*J*E TIENS MON VERRE DE CAFÉ COMME S'IL ÉTAIT MA BOUÉE DE SAUVE-tage. Il est froid. Même à travers le carton, je peux sentir qu'il ne me communique plus aucune chaleur. D'ailleurs, j'ai l'impression que c'est plutôt l'inverse. Mes mains sont tellement glacées qu'aucun liquide chaud n'aurait pu conserver ses degrés pendant ces minutes interminables, mais il est hors de question que je m'en débarrasse. Cette idée ne m'effleure même pas l'esprit. Pour l'instant, il représente pour moi ce qu'il y a de plus récon-fortant à des milliers de kilomètres à la ronde. Parce que, ici, tout me semble hostile, je dirais même froid, malgré les trente-deux degrés Celsius au mercure. Ce n'est pas du tout ce que j'imaginais. Oh non! Lorsque j'ai planifié tout cela, je ne devais certainement pas me retrouver dans cet état! Encore une fois, je devrai m'adapter. De toute façon, je l'ai fait toute ma vie, ce n'est pas comme si c'était nouveau. Je vais réussir, j'en suis convain-cue. J'ai juste besoin d'un peu de temps, mais ça va aller. Il le faut, je n'envisage aucune autre possibilité.

Le regard dirigé droit devant, comme si rien n'existait autour, je me dirige vers la sortie du terminal trois de l'aéroport de Fort Lauderdale. Mon allure doit certainement donner l'impression d'une femme pleine d'assurance qui sait exactement où elle s'en va. Pourtant, mon avenir ne m'est jamais apparu aussi nébuleux.

Ces pas, je les ai faits et refaits à maintes reprises depuis quelques années. Je connais bien cet endroit. Comment dirais-je... changement de contexte, changement de perception! J'essaie encore de m'accrocher aux fameuses certitudes qui me tenaient les deux pieds bien ancrés dans l'assurance et la confiance en moi. Mais on dirait que le béton s'effrite, malgré toute ma bonne volonté. Je ne sais pas qui a le contrôle de la machine, mais ce n'est pas moi! Il manque quelque chose, un élément fondamental. Un ingrédient mystérieux qui permettrait l'amalgame parfait de tous les constituants de ma petite personne. J'ai beau chercher à comprendre ce qui m'arrive, mais je ne trouve pas. Où est cette force, celle qui m'a permis de traverser quelques petites tempêtes dans ma vie?

Les portes automatiques s'ouvrent devant moi, et je me concentre. Ouf! un avion vient de décoller. Ce qui déclenche une étrange réaction en chaîne. J'ai l'impression d'avoir un étau dans le ventre. Je me sens littéralement attaquée sur tous les fronts. Une lance me transperce la poitrine d'un coup. Je suis submergée par une vague de sueur, mon côlon irritable s'emballe, et mon ventre gonfle à la limite de l'éclatement. Une lutte psychologique s'engage entre mon système nerveux et mes jambes qui semblent vouloir capituler. Non, pas tout de suite. Il faut que je tienne le coup. Juste trois minutes.

Sans en prendre pleinement conscience, je me mêle aux nombreux voyageurs qui sont affairés ici. Après tout, nous sommes lundi de Pâques. J'essaie de m'assimiler à la foule qui grouille de vie, qui arbore le teint basané de ceux qui sont sur le point de s'envoler après quelques jours de répit sous un soleil réconfortant. Mais il n'y a rien à faire, je suis persuadée d'être aussi incognito qu'une extraterrestre dans un poulailler! Ma démarche est plus rapide que la leur. Je dois certainement fuir une menace qu'ils ne voient pas. Mais qu'ils ne se réjouissent pas trop rapidement, car ils la connaîtront un jour. Dans toute son horreur. Ma tête est basse. Rien à voir avec tous ces regards heureux et ces visages souriants. La gravité me pèse tellement, fouler le sol de cette planète est un effort immense. Mes lèvres sont scellées et c'est bien ainsi, parce que les sons qui réussiraient à se frayer un chemin ne seraient pas des mots. Mon dos est courbé. Avec raison, je porte toute ma vie sur mes épaules. Et comme si ce n'était pas suffisant, je n'y vois rien. Bien sûr ! Les stationnements à étages sont tellement lugubres et sombres. Pas question d'enlever mes lunettes solaires noires. Je ne devrais assurément pas les porter, mais ai-je vraiment le goût de réduire à néant mon dernier rempart ?

Enfin, je remercie le ciel ! J'ai réussi à atteindre mon but ultime, l'objectif totalement irréaliste que je m'étais fixé. Pour aujourd'hui. Me rendre à ma voiture, mon bunker. Demain, on verra. C'est encore loin. Je verrouille les portes immédiatement. C'est presque trop tard, les larmes ont déjà commencé à ruisseler. Mais j'ai réussi à limiter les dégâts, juste à voir le déluge qui me ravage maintenant. Quel soulagement indescriptible ! C'est à croire que mes glandes lacrymales peuvent produire indéfiniment. Mon corps est secoué de spasmes incontrôlables et foudroyants. J'ai peine à reconnaître les sons qui sortent de ma gorge. Impossible, ça ne peut provenir de mes organes internes ! Je n'ai plus aucune conscience du monde extérieur. Ce qui se passe de l'autre côté de la structure de métal de ma voiture louée n'a plus aucune importance, ni à l'intérieur. Je n'ai aucun contrôle. La crise est à son paroxysme. Assez d'émotions refoulées, la machine vient de disjoncter. Je suis en plein duel avec mes démons. La solitude.

**

Gagner à la loterie, est-ce que ça change le monde ? Dix millions huit cent mille dollars et presque dix années plus tard, je suis convaincue que la réponse est non. Aujourd'hui, la réalité me crève les yeux. Je me souviens très bien, comme si c'était hier ! Le billet gagnant de mon père et toute l'euphorie qui s'en est suivie. Les premières paroles de mes parents, je ne les oublierai jamais : « Les problèmes d'argent, c'est terminé, Joanne, ton avenir est assuré.» Il faut juste imaginer un instant l'impact d'une telle phrase dans une famille où l'insécurité financière est héritée génétiquement! Juste après la couleur de nos yeux! Il y avait vraiment de quoi marquer mon imaginaire à tout jamais. D'autant plus que mes parents, des salariés de la classe moyenne, avaient tout mis en œuvre pour assurer à leurs deux filles un accès aux études universitaires et une qualité de vie respectable. Une telle somme, qui arrivait au tout début de leur retraite, c'était totalement inespéré. Et c'était le moment d'offrir le cadeau ultime à leurs descendants! Un avenir exempt de soucis financiers pour leurs enfants et petits-enfants, le rêve de tous les parents!

Bien sûr, le talon du chèque ne comportait aucun mode d'emploi! Mais sachant très bien lire entre les lignes, ils étaient pleinement conscients des implications de recevoir une telle somme aussi soudainement, sans aucune préparation. Et il faudrait bien mal connaître la nature humaine pour ne pas penser que quelqu'un, occasionnellement, par pure bonté, ne leur rappelait pas les dangers et tous les risques qui viennent habituellement avec ce genre de cadeau. Parce que c'est la norme. Les gagnants de montants importants à la loterie finissent inévitablement par être malheureux! Tout le monde le sait. Et nous le savions aussi. Il est possible de prendre une grande variété de placements au rendement garanti. Par contre, le bonheur, lui, ne l'est pas. D'ailleurs, parmi tous les conseillers financiers rencontrés grâce à notre nouveau statut de client privilégié, aucun n'affichait, dans sa liste interminable de compétences, le titre de spécialiste chevronné en évitement de faux pas conduisant à la déchéance! Nous devenions donc autodidactes en la matière, c'est-à-dire que nous devions procéder par la bonne vieille méthode «essais et erreurs». Et, si possible, il était préférable d'apprendre rapidement! Le moins de faux pas possible. Cela semble superflu de l'écrire. Mais, dans la réalité, c'est primordial. En fait, c'est extrêmement simple, c'est la différence entre l'horreur et le bonheur!

«Comment avez-vous fait?» ou «Pourquoi avez-vous réussi là où d'autres ont échoué?» «Êtes-vous vraiment plus heureux?» ou encore «Faut-il être universitaire pour éviter le cauchemar?» étaient toutes des questions légitimes qui méritaient une réponse. Encore fallait-il la connaître, la solution miracle à cette énigme. Tout cela nécessitait une bonne réflexion. Après avoir vécu dix années selon les nouveaux paramètres de cette vie de millionnaire, j'en étais arrivée au point où, moi aussi, j'avais envie de trouver ces réponses. De cette démarche, j'ai donc fait un livre! Ma conclusion était sans équivoque, il n'y avait aucun doute dans mon esprit. Mes parents avaient donc réussi là où la majorité avait échoué. Ils étaient parvenus à transformer des millions de dollars en millions de petits bonheurs pour leur famille.

Et où se trouve l'élément clé? La vie trépidante qui découle de ce petit chèque qui se dépose au compte de banque soudainement amène son lot d'expériences nouvelles. La voile sur le lac Champlain et à Antigua, bien sûr que la magie opère! Que dire des terrains de golf incroyables que j'ai découverts en Floride et dans les Caraïbes? Assister aux premiers exploits de mon fils adolescent pilotant un Cessna, et voir ma fille évoluer avec les chevaux, cela vaut de l'or pour moi. Découvrir Paris, c'est merveilleux! S'éterniser un petit moment à Cannes pour découvrir la Côte d'Azur. Rapporter des souvenirs inoubliables de Monaco, se prélasser à Saint-Tropez, admirer les bateaux de croisière dans la baie idyllique de Villefranche-sur-Mer. Des marinas de rêve où des yachts de luxe s'alignent... de toute beauté! L'endroit où j'adore prendre un moment pour faire le point, la Promenade des Anglais à Nice... incroyable! Le shopping, c'est à New York que je le préfère! Ce ne sont que quelques exemples des changements qui s'opèrent dans la vie de nouveaux gagnants à la loterie. À première vue, tout semble merveilleux. Et ça l'est! Mais il faut aller plus loin que ce qui saute aux yeux.

**

Ce sont les pensées qui traversent mon esprit. Pendant que je reprends graduellement le contrôle de mes émotions, le calme envahit mon espace. Quel bien-être ! Le contraste est frappant, d'autant plus que je peux encore ressentir les traces de la tempête. Mes mains tremblent lorsque je reprends mon verre de café. D'un geste automatique, j'en prends une bonne gorgée. Ouf ! non, ce n'est pas mon Grand Marnier ! Vraiment épouvantable ! La température du liquide est dans une zone indescriptible, plus aucune chaleur, plutôt glacial même. Mais le goût s'est décomposé en quelque chose de totalement insipide. À un point tel qu'il est difficile de croire qu'à l'origine, sa vraie nature était chaude et réconfortante. Comme moi. Je prends quelques secondes pour jeter un regard autour de moi. Étonnamment, la terre a continué de tourner. Il n'y a que mon petit monde qui est secoué. Ça crève les yeux que, là-bas, à l'extérieur de ma voiture, tout va pour le mieux. Non, je reformule. En fait, ces gens réussissent beaucoup mieux que moi à donner l'impression que tout est parfait. Alors, suivons l'exemple ! Reprenons nos esprits et agissons comme si la vie était rose. Après tout, aucune raison d'être malheureuse, je suis millionnaire !

Singulièrement, je ressens une grande sérénité. Dans les moments difficiles, il faut se secouer et se regarder en face. Être courageuse, ne pas avoir peur de confronter ses démons ! Ou alors ce bien-être est-il seulement l'effet secondaire d'une crise de larmes ? Quoi qu'il en soit, c'est merveilleux, j'ai repris le contrôle de mon état ! Tout va pour le mieux maintenant, je suis guérie ! Armée de toute ma détermination, je regarde autour de moi pour m'assurer d'être bien consciente du monde réel et je démarre la voiture. Je m'empresse de mettre en marche l'air conditionné, ce qui est contraire à mes habitudes puisque j'adore la chaleur. Mais, en ce moment, je suffoque, je transpire. Mais tout va bien, je crois. Je sors du stationnement et, tout de suite, je suis à même d'apprécier la chance que j'ai d'être ici. Le soleil brille comme jamais je ne l'ai vu, le ciel est d'un bleu immaculé et les palmiers s'alignent sur la route fédérale devant moi. Fort Lauderdale veut me réconforter !

À quel endroit devrais-je écouler les prochaines heures, elles sont critiques, après tout. N'importe où, pourvu que je ne sois pas seule. J'ai besoin d'être entourée, même des étrangers feront l'affaire. La réponse ne se fait pas attendre très longtemps. Elle me saute au visage comme la plus évidente des réalités. Un centre commercial... mon centre commercial. Mais, plus encore, je dois absolument trouver une façon d'occuper mon esprit. Il tourne à la vitesse maximale et ça me fait horriblement peur. Bien sûr ! La fête des Mères ! Le cadeau de maman, il me faut focaliser sur cette pensée. Je suis maintenant investie d'une mission qui nécessitera toute mon attention. Alors, d'un geste assuré, je me dirige vers l'est sur le boulevard Sunrise. Et en face de l'avenue Bayview, je tourne à droite devant la magnifique façade de Galleria. Des palmiers partout ! C'est ce que j'adore de la Floride. Ce majestueux édifice, où le blanc domine, rappelle indéniablement l'architecture du sud. Petit clin d'œil pour me rappeler, encore une fois, que je n'ai aucune raison de me plaindre. N'était-ce pas mon propre choix ?

J'ai adoré cet endroit dès l'instant où je l'ai vu la première fois. C'était il y a six ans. Ma nouvelle vie me permettait maintenant d'élargir mes horizons. J'ai adopté l'endroit et il est devenu une destination annuelle. Pendant que les souvenirs m'inondent et que la mélancolie m'accompagne comme une fidèle amie, j'arpente lentement les allées. Je me laisse séduire par les boutiques mais aucun achat encore. Puis, sans aucune raison apparente, mon errance m'entraîne chez Macy's. Je jette un coup d'œil distrait aux parfums, Viktor & Rolf ne m'attire pas aujourd'hui. Je déambule parmi les sacs à main et les chaussures. Une conseillère au teint parfait, tenue parfaite et coiffure parfaite s'approche dangereusement de moi. Avec une diction parfaite, elle me demande dans sa langue: «Puis-je vous être utile, madame ?» Je colle mon sac à main sur ma hanche et je prends brutalement conscience de mon teint vert, de ma tenue très ordinaire et de mes cheveux négligés. «Non, merci, tout est parfait !»

Ma promenade intérieure m'amène jusqu'à l'escalier roulant. Tout le deuxième étage s'offre à moi, d'un coup. Je choisis de me diriger vers les accessoires de maison. À leur vue, je m'immobilise complètement. Pourtant, ils n'ont rien d'extravagant, rien de particulier, en fait. Mais ces napperons me frappent en plein cœur. Exactement comme un détonateur. Et les images m'assaillent tout d'un coup, sans aucun avertissement. Je vois ma mère, mon fils, ma fille, mon père, ma sœur. Non ! Ça recommence !

**

Lorsque le gain à la loterie a frappé notre famille, j'étais en couple avec mon conjoint depuis deux ans seulement. Je m'étais très bien adaptée à tout ce que suppose le fait d'avoir un nouvel homme dans ma vie. D'ailleurs, mes jeunes enfants semblaient parfaitement s'accommoder de la situation, et nous formions une belle équipe. Une relation enrichissante et bienfaisante à plusieurs niveaux. D'autant plus que les années précédentes avaient été particulièrement éprouvantes, semble-t-il. Du moins, à en croire mon entourage, il aurait été parfaitement compréhensible que je m'en sorte avec quelques séquelles. Mais ça, c'est une autre histoire et, au surplus, je l'ai déjà racontée ! Donc, ma relation de couple a évolué au rythme de mon adaptation à ce tout nouveau style de vie. Et, contrairement à ce que l'on pourrait croire, la dynamique entre nous deux a été peu modifiée par ma nouvelle situation financière. J'avais à mes côtés un homme autonome qui ne démontrait aucune intention de vivre aux crochets de sa partenaire nouvellement millionnaire ! Au contraire, nous avions en quelque sorte la même vision de la situation. Et notre objectif était clair, profiter de la vie et de ses petites douceurs sans exagération, tout en gardant les deux pieds sur terre. Nous avons donc évolué ainsi pendant plusieurs années, presque dix, en fait. Puis, la dynamique a changé. L'horizon, qui était commun auparavant, s'est graduellement divisé et orienté dans deux directions opposées. Le genre de situation qu'on ne peut absolument pas modifier... ou pardonner. Le couple n'a pas survécu. L'argent est la cause de bien de maux, mais il ne peut prendre toutes les responsabilités !

Voilà donc où j'en étais. Millionnaire et célibataire ! Sans toutefois le révéler à haute voix, j'avais réellement l'impression qu'à partir de ce moment l'inconnu s'étalait devant moi. À perte de vue. Et je dois avouer que cela n'avait rien de rassurant. La situation avait ceci de particulier : c'était ma toute première expérience dans l'environnement de celles qui ont quitté le bateau de la vie de couple... et qui ont un lien aussi étroit avec Loto-Québec ! Ceux qui ont suivi mon histoire savent maintenant que le désir de contrôler mon destin est omniprésent. Ce qui ne signifie certainement pas que le résultat est celui escompté. Mais, on l'a vu, je peux m'adapter à presque tout. Par contre, cette fois-ci, la tâche me paraissait complètement différente. Parce que le défi était d'abord de déterminer mes objectifs. En termes clairs, je n'avais aucune idée de ce que je cherchais ! Mais, plus encore, est-ce que je cherchais vraiment quelque chose ? Pas question de baisser les bras, mon intention était de m'attaquer à la question et d'y voir clair assez rapidement. Mais d'abord, mon pragmatisme devait reprendre le dessus sur mes émotions. Je voyais clairement des priorités à traiter, des étapes à respecter. Et, comme le hasard fait bien les choses, j'avais justement l'opportunité d'amorcer un rigoureux travail sur mon estime de soi. Car, bien sûr, je ne pouvais l'oublier, je devais d'abord accepter la réalité. J'étais une femme trompée. C'est donc sur cette pensée positive et réconfortante que j'ai entrepris ma réflexion.

Évidemment, l'écriture d'un premier livre est une technique très valable en soi pour développer un bilan exhaustif de sa vie, mais il arrive un moment où passer des heures devant un ordinateur à épancher ses états d'âme ne suffit plus. Il faut mettre la technologie de côté et s'en remettre à la réalité. C'est le signe indéniable qu'il est maintenant temps de passer à l'étape suivante. Même si celle-ci n'était pas tout à fait claire encore. Je crois qu'à ce moment, l'idée qui me gouvernait aurait pu se résumer très simplement. Deux mots, en fait : on verra.

**

C'est exactement ce à quoi je réfléchis à l'heure actuelle, au volant de ma voiture. Qu'est-ce que je fais ici déjà ? Par quel cheminement complexe et laborieux en suis-je venue à la conclusion que ma réhabilitation sociale devait passer par cette étape ? L'air conditionné est maintenant réglé au minimum, signe rassurant que mon état s'est stabilisé. Les palmiers défilent au rythme des airs qui jouent à la radio. Soleil éblouissant toujours présent. J'ai l'impression que j'ai repris ma place et que je suis mon destin : la route fédérale en direction de Pompano Beach. La petite bifurcation émotionnelle que je viens de traverser est derrière moi. Ça n'a vraiment pas été facile. Je savais bien qu'il y aurait une réaction, mais je ne l'anticipais pas aussi intense. Mais voilà, c'est terminé. Les cinq dernières heures ont été pénibles, j'en conviens. Par contre, il fallait absolument que tout cela se produise. Je devais crever cet abcès. C'est le plan.

En garant la voiture devant le garage, je remarque que les voisins ont placé les poubelles près de la rue. Il ne faut pas que j'oublie, moi non plus. En louant la maison pour deux semaines complètes, j'acceptais aussi les obligations qui étaient stipulées au contrat. Je sors de la voiture et je me dirige vers la porte, mais j'ai un moment d'hésitation. Un sentiment étrange m'envahit, mais je n'arrive pas à mettre le doigt sur ce que c'est exactement. En insérant la clé dans la serrure, je suis parfaitement consciente que ce ne sera plus la même chose. J'ouvre la porte doucement et je redécouvre la maison. Elle est différente. Pourtant, rien n'a changé depuis que je l'ai quittée ce matin. Tout est au même endroit. Impeccable. Rien n'a été laissé sur le comptoir de granit de la cuisine. La cuisinière au gaz reluit de propreté. L'acier inoxydable me renvoie le reflet d'une femme en rémission de ses émotions. Il n'y a pas la moindre pièce de vêtement qui traîne sur les canapés au salon. J'aurais peut-être préféré un peu de désordre. Non, non, mes pensées ne doivent surtout pas prendre cette direction. À partir de maintenant, je reprends le contrôle.

Je vois la piscine creusée à travers les portes-fenêtres au fond. Les images me reviennent en tête. J'étais littéralement tombée sous le charme la première fois. C'est pour cette raison que je renouvelais la location chaque année. Ce bleu turquoise est saisissant. D'autant plus que le petit bijou est entouré d'une végétation tropicale luxuriante à faire rêver. Je m'approche du quai et je m'attarde un moment. Le canal est calme, juste un yacht plus loin là-bas. C'est étonnant pour le weekend de Pâques ! Le voilier du voisin est toujours amarré. J'en ai passé des heures à l'admirer, celui-là ! Avec mon premier café du matin, c'était la combinaison gagnante ! Mon ex-conjoint et moi avons passé des heures à planifier nos étés de voile en le regardant… Oh là ! attention, danger ! Je reviens sur mes pas, il vaut mieux retourner à l'intérieur et penser à autre chose.

Je suis hésitante mais je dois le faire. Je pose ma main sur le cadre de la porte de chambre. Je sens que j'ai besoin de ce support. Tout est impeccable ici aussi. Ce n'est pas étonnant, ma sœur ne voulait pas me laisser le moindre désordre. J'espère qu'elle a apprécié les beaux moments que nous avons passés ensemble, tous les quatre. En fait, oui, elle a aimé ces quelques jours. Elle me l'a dit avant de partir. J'essuie une larme du revers de ma main. Celle qui ne tient pas le cadre de la porte. Puis, tout doucement, je m'introduis dans l'autre chambre. Ici aussi, trop calme, trop propre. Les deux lits sont faits, les commodes sont vides. Je souris en les revoyant essayer de se concentrer pour étudier, allongés sur leur chaise près de la piscine. Mais rapidement, une autre larme roule sur ma joue. Telle une funambule sur son fil, je déambule dans la maison. En fait, je sais très bien ce que je fais, j'essaie de réapprivoiser ce lieu, d'en chasser les fantômes. Les miens.

Dernière étape de mon pèlerinage, j'ouvre la porte du garage. Il est là, en plein centre, debout. Il ne s'en rend pas compte, mais je compte sur lui pour traverser cette phase. La première étape. Plus encore, la seule et ultime étape. Reprendre confiance en moi. Et je dois le faire seule, absolument. En repoussant mes limites, plus que jamais. Non, ce n'est pas un simple défi, c'est beaucoup plus que cela. Je dois me retrouver. Et j'ai choisi de le faire ici, loin de chez moi, loin de mes proches. Après presque deux semaines de plaisir et de petits bonheurs, j'ai regardé partir ma sœur et mes deux enfants. C'était prévu. Je viens de réussir le premier test, le premier jour. Le supplice de l'aéroport. Il reste cinq fois vingt-quatre heures.

Je fais quelques pas vers lui. Oui, il reste cinq fois vingt-quatre heures. Ou cinq dix-huit trous. Il est temps de mettre mon sac dans la voiture. Demain matin, j'ai un départ à huit heures. Est-ce que c'est vraiment cela, la vie trépidante de millionnaire ?

Chapitre 2

J'apprivoise le célibat

Dans les semaines précédant l'escapade en Floride, rien n'indique que mes raisonnements bien calculés et savamment élaborés m'amèneront à la conclusion qu'une douche de réalité à l'étranger me serait bénéfique. Pour l'instant, le projet n'existe pas encore. Je suis bien ancrée dans mon quotidien, et la Floride est enfouie dans mon inconscient. J'en suis aux premiers pas de cette vie de célibataire. Les blessures, bien qu'invisibles pour l'œil non averti, sont bel et bien présentes, et douloureuses. La terre des oranges est à des milliers de kilomètres, sur la carte comme dans ma tête, et c'est très bien ainsi. Les trente secondes déterminantes qui ont sonné le glas de ma vie de couple sont encore très fraîches dans ma mémoire.

Malgré tout, je suis étonnée du chemin parcouru en si peu de temps. Dans tous les sens du terme, bien sûr ! Il y a quelques semaines à peine, j'étais encore sous le choc de la rupture. Et l'essentiel de mon emploi du temps me semblait concentré sur la façon de me rebâtir un quotidien. Comme tout le monde, moi aussi, je croyais à la magie du destin qui arrange tout. Maintenant que les finances n'étaient plus un frein aux loisirs, ce serait chose facile. Je n'aurais qu'à claquer des doigts et vlan ! une vie

sur mesure tomberait du ciel, digne de la millionnaire que j'étais
devenue. Exactement comme dans les traductions de feuilletons
populaires. Et les magnifiques candidats, incroyablement riches,
se bousculeraient les uns les autres pour avoir un accès privilégié
à ma précieuse attention.

Désolée, non, je n'y croyais pas du tout! Cadeau inestimable
de la quarantaine, la maturité m'habite maintenant. Encore une
fois, mon pragmatisme ne m'a pas fait défaut. Établir les priorités et déterminer par quoi je devais débuter. Sur quoi devais-je
me concentrer en ces premières semaines de célibat? Chacun et
chacune auraient ses propres réponses à ces questions d'ordre
stratégique. L'inscription à un site de rencontre? Non, vraiment
pas. Les explications viendront dans les chapitres ultérieurs!
Accepter les propositions de rencontres par des amis intermé-
diaires? Certainement pas! Encore une fois, j'en détaillerai quelques-unes plus tard. La réalité m'apparaissait de plus en plus
claire. De toute évidence, j'avais l'intention de pratiquer la technique du statu quo. Faire du surplace, tout simplement! Et peut-
être que, de cette façon, j'en arriverais graduellement à tracer
un portrait plus précis de ce que je désirais. Soyons plus clairs, je
saurais probablement plus tard quel type d'homme je recherche. Et quelle devra être sa situation financière!

Je me surprends moi-même à tenir ce genre de propos! Mais
c'est un fait indéniable, j'étais vraiment déstabilisée par ma nouvelle réalité. Après avoir vécu pendant presque dix ans dans mon
petit monde, à l'abri des inconnus indiscrets, me voilà maintenant parachutée dans la lumière au grand jour! Millionnaire de
la loterie! Mais qu'à cela ne tienne, moi, je préfère l'ombre. Et il
en serait ainsi. Pour un temps du moins. Alors, fidèle à mes convictions, j'ai entrepris une étape importante de ma réadaptation.
Pour une golfeuse, membre d'un club au surplus, il est essentiel
de trouver la force de se présenter sur son terrain. Sans conjoint.
Rassemblant toutes mes forces et mon assurance, j'ai recom-
mencé à fréquenter les verts. Évidemment, l'aspect social de la
chose est sous-entendu. Et les regards interrogateurs des autres

membres qui ont vite remarqué l'absence de partenaire. Grâce au ciel, même après trois années de présence au club, personne n'était au courant de ma situation financière. Petite leçon à tirer ici, n'est-ce pas? Je devrai ne jamais oublier ce premier commandement. Ne révéler mon secret qu'en cas d'extrême nécessité! Le diable est dans les détails, dit-on. Eh bien, j'ajouterais: «Mieux vaut une omission qu'une révélation!»

Entendons-nous bien, mon objectif était très modeste. Pratiquer mon sport préféré. Loin de moi l'idée d'intégrer les activités sociales du groupe. D'autant plus que je faisais tout en mon pouvoir pour les éviter. Au point où j'allais même jusqu'à tenter de donner l'impression que je préférais la solitude à la compagnie. Il ne fallait surtout pas brûler les étapes! C'était amplement suffisant pour le moment. Mais pour moi, quel énorme pas en avant!

L'assistant du professionnel a été le premier à créer une brèche dans mon rempart en béton armé. Comme je l'ai déjà affirmé dans le livre précédent, les joueurs de golf ont une passion en commun, et cela est habituellement suffisant pour initier les premiers contacts. Donc, comme Louis était souvent le préposé attitré aux départs, nous avions l'occasion de discuter régulièrement. D'abord au sujet du golf, ensuite sur des thèmes plus personnels.

— Comment vas-tu? Il y a un bon bout de temps qu'on ne t'a pas vue sur le départ? m'a-t-il demandé.

— Ah! ça va plutôt bien! Je commençais à me sentir rouillée. Tu as raison. Je vais reprendre mon rythme maintenant, lui ai-je répondu, espérant que cette gentille conversation prendrait fin là-dessus.

— Seule aujourd'hui? a-t-il ajouté, marquant son interrogation d'un petit regard en coin perplexe.

Eh bien, voilà! Honnêtement, j'espérais un petit répit pour mon retour. Une première partie pour casser la glace, tout simplement. Rien à raconter. Pas d'explications à donner, pas de sentiment d'urgence à justifier une séparation que personne n'avait vue venir. Et parfois, il faut même aller jusqu'au point où l'on doit réconforter les autres, les convaincre que tout va bien. Peut-être aussi les rassurer en leur affirmant que, oui, on va s'en sortir. Bof, pourquoi ne pas lâcher le morceau tout de suite ? La rumeur fera tout le travail et répandra la bonne nouvelle !

— Bien, tu sais, on n'est plus en couple. On s'est séparés il y a quelques semaines, lui ai-je répondu en prenant bien soin de dégager un air indifférent.

— Non ! Ce n'est pas vrai ! s'est-il exclamé, beaucoup moins surpris que je ne l'aurais cru.

Je supposais que, comme les autres, il avait vu que quelque chose ne tournait pas rond dans ce couple. Et là, bien sûr, j'attendais la prochaine question. Celle qui devrait suivre en toute logique. *Allons-y ! Vidons l'abcès définitivement. Et qu'on en finisse,* pensais-je. Ensuite, je pourrais enfin aller jouer ma partie. C'était pour ça que j'étais là, ne l'oublions pas !

— Mais qu'est-ce qui s'est passé ? La dernière fois, tout avait l'air de bien aller. Pour être bien honnête avec toi, Joanne, à mon avis, ce n'était pas un gars pour toi, a-t-il continué.

— Disons que tu n'es pas le premier à me dire ça ! Depuis un bon bout de temps déjà, la relation laissait à désirer, ai-je ajouté en guise d'explication.

— Bon, alors ! C'est simple, on va te trouver quelqu'un ! Il ne manque pas de golfeurs célibataires ici. Et de très bons partis, je te le jure ! a-t-il lancé, débordant d'enthousiasme.

Pourquoi n'étais-je pas surprise ? J'ai eu un petit moment d'hésitation. Comment répondre à une offre aussi généreuse ? « Oui ! et, s'il te plaît, fais une enquête de crédit avant de me le présenter ! » En fait, Louis est un homme particulièrement gentil. Mais surtout, je crois qu'il me connaissait bien. Il voulait réellement participer à ma réinsertion sociale. Et pourquoi pas trouver le meilleur parti qui soit pour moi ?

– Ah, Louis ! Tu n'es pas sérieux ! C'est la dernière chose que je cherche en ce moment ! Tout ce que je veux, c'est reprendre ma routine et jouer au golf, lui ai-je répondu en riant.

– Il n'y a pas juste le golf dans la vie, Joanne ! Surtout que, au rythme d'un jour par semaine, tu ne te tueras pas à l'ouvrage, hein ! a-t-il ajouté, un sourire en coin.

– Ouais, ouais, j'ai de la chance, je sais ! Belle petite vie relaxante. Mais je te l'ai dit, ça n'a pas toujours été comme ça, ai-je dit, en faisant quelques pas vers la sortie.

– D'accord, on s'en reparle ! a-t-il conclu en me saluant d'un geste de la main.

Je sentais que la soupe était chaude ! Il valait mieux pour moi mettre un terme à notre conversation. C'était tellement clair, les propos se dirigeaient en droite ligne vers un terrain glissant. Louis a commencé à s'interroger sur mes temps libres assez rapidement. Et, fait étonnant, il n'était pas le seul. Bon, d'accord, j'avoue que cela pouvait soulever certaines interrogations. Une femme dans la quarantaine, membre d'un club de golf, mais qui, surtout, pouvait se présenter pour un départ à tout moment de la semaine. C'est ainsi que les questions ont commencé. « Tu travailles dans quel domaine ? » La vérité, tout simplement, parce que, jusque-là, je n'y trouvais rien d'incriminant ! Je travaillais un après-midi par semaine, en consultation privée dans le domaine de la nutrition. Habituellement, cela satisfaisait les gens du quatuor avec qui j'évoluais ce jour-là. Dès qu'ils comprenaient que j'étais nutritionniste, j'avais droit à une série de questions. Souvent au sujet de leur poids. Mais on me demandait aussi mon avis sur les dernières diètes au goût du jour. Un soulagement non négligeable, puisque je tenais à continuer de camper mon personnage « incognito ». Je peux donc affirmer que j'ai prodigué beaucoup plus de conseils gratuits que rémunérés. Les affaires ne font malheureusement pas partie de mes talents !

Cependant, Louis a démontré un peu plus de persévérance. Je crois que son poids ne le préoccupait pas vraiment. Ainsi, avec le temps, notre amitié a évolué. Et les sujets de discussion aussi. Inévitablement, la question fatidique est tombée.

– Mais, tu dis que tu travailles un après-midi par semaine. Ça doit être payant pas ordinaire, la diététique ! m'a-t-il lancé un jour où nous avions un peu de temps pour discuter.

J'étais arrivée en avance pour frapper des balles, mais je préférais discuter avec lui. Je n'ai pu m'empêcher de sourire. J'essayais de comprendre ce qui pouvait bien se passer dans sa tête, de quelle façon pouvait-il bien interpréter la situation. J'étais convaincue que, à aucun moment, il n'a pensé à la loterie. C'est certain, personne n'y croit. Des millions qui tombent du ciel, ça ne pouvait pas expliquer ma situation. De toute façon, il le saurait ! Parce que ces choses-là ne restent pas cachées longtemps. Vraiment ?

– Bien oui, c'est bien payé, la nutrition ! Mais je n'ai pas que fait du temps partiel dans ma vie ! lui ai-je dit, en riant.

– Donc, tu as déjà travaillé beaucoup plus que ça et tu as économisé. Et aujourd'hui, tu peux te la couler douce, c'est ça ? Donne-moi ta recette, s'il te plaît ! a-t-il insisté.

Je devais me retenir. J'avais tellement envie de rigoler. Bien sûr que non, je ne me payais pas sa tête ! Même si bien des gens à ma place ne se seraient aucunement gênés. Je sais très bien qu'il aurait mérité de connaître la vérité. D'autant plus qu'il s'était confié à moi, lui. Il m'avait donné des détails sur sa vie personnelle. Il avait confiance en moi. Il savait que je ne me servirais pas de ces informations pour me rendre intéressante sur les tertres de départ. Alors, qu'est-ce que j'attendais pour enfin lui révéler l'énigme ? *Mes parents ont gagné des millions à la loterie, et maintenant, j'ai du temps à ne plus savoir quoi en faire ! Eh oui, tombés du ciel, les millions ! J'aurais pu ajouter: Je n'ai même plus besoin de travailler pour faire la belle vie !*

Mais une sournoise culpabilité m'empêchait de blaguer sur le sujet, même si je n'en étais pas consciente encore à cette époque. Quoi qu'il en soit, j'ai répondu avec la vérité. Mais pas toute la vérité.

– Ça aurait pu être ça, Louis. Mais non, ce n'est pas tout à fait la réalité. En fait, mes parents sont à l'aise financièrement, ce qui fait que j'ai la chance de vivre en partie avec mes revenus de placement. Je suis une retraitée... dans la quarantaine ! ai-je donné en guise d'explication.

– Et tes parents, ils faisaient quoi dans la vie ? Je veux dire, pour réussir à être à l'aise comme ça. Ils avaient une compagnie, ils étaient professionnels ? a-t-il continué, déterminé à bien comprendre le portrait de la situation.

– Non, non. Ils étaient des employés salariés, tout simplement. Mais on parle d'une autre réalité, d'une autre époque. Ils ont commencé à travailler très jeunes. Et économiser allait de soi pour eux. Mon père a possédé sa première voiture neuve quelques années seulement avant de prendre sa retraite ! lui ai-je raconté, espérant ainsi clore le sujet et satisfaire sa curiosité.

Tout était vrai ! Tout ce que j'ai dit était exact ! Bien sûr, j'avais l'impression de jouer à l'imposteur. Honnêteté et sincérité sont mes valeurs fondamentales ! Mais je me retrouvais sur un terrain glissant. N'oublions pas que j'avais alors près de dix longues années d'expérience en tant qu'heureuse millionnaire de la loterie ! Comme, à mon avis, le résultat n'était pas trop décevant, je comptais bien miser sur mon intuition pour gérer cette situation particulière. Quoi qu'il en soit, il ne serait jamais trop tard pour, disons... ajouter les détails manquants !

En procédant de cette façon, j'arrivais à satisfaire sa curiosité naturelle. Celle qui se développe au même rythme que les rapprochements d'une nouvelle relation. Mais, surtout, j'arrivais à conserver mon rempart. Ma barrière protectrice contre je ne savais quoi encore à ce moment-là. Et, qui plus est, ce filet, qui se trouvait sous mon trapèze, me permettait de reprendre mon élan lentement, à mon rythme. C'était simple : pas de filet, pas d'élan ! Mais cela, je l'ai compris beaucoup plus tard.

Par la suite, la curiosité sur ma situation financière s'est estompée. L'intérêt se dirigeait davantage vers l'état de nos relations de couple. Tout semblait bien se passer de son côté. Et je laissais voir la même chose. Parce que je croyais que c'était le cas. Jusqu'au moment où je l'ai mis au fait de ma nouvelle condition de célibataire. Les liens étaient déjà bien établis et, par le fait même, il n'est aucunement surprenant qu'il ait voulu comprendre ce qui s'était passé. Finalement, j'ai révélé les détails lamentables de cet échec amoureux. J'en ai ressenti une immense libération, d'autant plus que seule ma famille était au courant de toute l'histoire. C'était en quelque sorte une heureuse façon de renouer avec la gent masculine.

Voilà qui expliquait son empressement à vouloir participer au choix du prochain prétendant ! À son avis, il semblait que je méritais mieux que ce que je venais de vivre. Par la suite, il lui arrivait régulièrement de me proposer de retarder mon départ parce que, disait-il, quelqu'un d'intéressant allait se pointer. Après avoir essuyé des refus à répétition, il a capitulé, mais seulement pour changer de tactique.

— Joanne ! Le souper et le tournoi de fin de saison des membres vont avoir lieu bientôt. Je t'inscris, hein ? m'a-t-il demandé lors de l'un de mes retours du dix-huitième trou.

— Bof, je ne sais pas trop. Je ne crois pas, non. Mais je vais y penser, je te le promets ! lui ai-je répondu, sachant trop bien qu'il ne s'avouerait pas vaincu aussi facilement.

— Oh non ! Tu ne me feras pas ce coup-là ! Il est temps qu'on te remette sur le circuit ! C'est l'occasion parfaite ! C'est toujours une réussite, je te le jure. Les membres ont beaucoup de plaisir ensemble. Tu ne peux pas manquer ça ! a-t-il ajouté, en se montrant très insistant.

– Je n'en doute pas un instant ! Mais je ne connais personne. Je ne me vois pas arriver toute seule. J'aurais l'air de quoi ? une « looser », hein ! ai-je dit en ricanant.

– Bon, j'ai compris ! Tu ne veux rien savoir des hommes que je veux te présenter. Alors, je vais te faire rencontrer des femmes ! a-t-il lancé, ne laissant aucune place à la riposte.

J'en étais maintenant là ! La millionnaire ne se satisfaisait pas des hommes, qu'à cela ne tienne, on passerait aux femmes ! Bien sûr, j'ai très bien compris ses intentions. En fait, son but était tout simplement de passer par un chemin détourné pour finalement me ramener parmi mes semblables et socialiser, comme il se doit dans ma situation. Par la suite, le destin jouerait son rôle, et l'homme de ma vie réussirait à frayer son chemin jusqu'à moi. Et ainsi, nous pourrions vivre heureux pour toujours. Ce serait parfait ! Mais, un petit instant, était-ce vraiment ce que je voulais, moi ? Cela méritait réflexion. Ne rien précipiter, une chose à la fois. J'avais tout mon temps, c'est vrai, je n'avais pas à travailler pour gagner ma vie ! Je devais encore me pincer pour prendre conscience que c'était vraiment ma réalité. Ainsi, quelques jours plus tard, il mettait son plan à exécution. Au moment où je me suis représentée au club... et que j'avais tout oublié de notre conversation des jours précédents.

– Tu arrives juste à point, Joanne ! Dépêche-toi de te préparer ! Ton départ est dans dix minutes. Je t'ai placé avec un couple et une femme seule, séparée elle aussi ! C'est Francine, elle est membre du club. Et elle vient au tournoi et au souper. Tu vois, tu n'es plus toute seule ! Pour le tournoi, je vous ai inscrites dans mon groupe ! On va avoir du plaisir, je te le promets ! Je n'ai pas le temps de te parler plus longtemps, je suis vraiment dans le jus !

C'était exactement cela. Se faire mener par le bout du nez. Moi, contrôlante ? Certainement pas ce jour-là ! De toute évidence, ce n'était pas déplaisant du tout puisque je n'ai pas dit un mot. Je l'ai salué et je me suis présentée à mon départ. C'est ainsi que j'ai connu Francine. Wow! j'ai été renversée par l'éner-gie positive de cette femme. Honnêtement, cette description est beaucoup trop pâle. Elle était débordante d'une joie de vivre incroyable. Et contagieuse au point où je n'ai pu résister. Je me suis laissé entraîner dans le tourbillon que créait cette femme autour de moi. J'étais littéralement estomaquée de voir à quel point cette professionnelle avait apprivoisé sa situation de femme divorcée. Elle avait derrière elle dix bonnes années d'expérience dans ce domaine. Et il découlait de cette maturité une philosophie de vie tout à fait particulière. Ce que je n'avais pas encore acquis. Je sentais pertinemment que j'avais beau-coup à apprendre. Et qu'elle était parfaitement bien disposée à m'ouvrir les yeux sur les menaces qui planaient sur moi, ô pau-vre nouvelle célibataire inconsciente.

La partie de golf s'était terminée presque sans que je m'en aperçoive, tellement mes discussions avec Francine étaient rafraîchissantes. J'étais passionnée par tout ce qu'elle me racon-tait sur elle. Ces quelques heures ont suffi pour faire un survol de presque tous les domaines de nos vies. Une carrière réussie et enviable, des enfants professionnels à qui tout sourit. Une situa-tion financière aisée permettant les voyages et un horaire allégé. Sans oublier le fait que ses connaissances et son expérience en aviation ont créé un fil conducteur. J'étais tellement fière de van-ter, moi aussi, les exploits de mon fils de seize ans en Cessna. Elle débordait de talent dans tellement de domaines. Sans oublier les nombreux sports où elle semblait évoluer avec aisance. Je ne crois pas exagérer en affirmant qu'il n'y a pas eu trente secondes de silence. Bien sûr, mon pointage en a pris un coup. Mais il faut savoir établir ses priorités. Ainsi, après avoir effleuré tous les sujets, nous avions l'impression de vraiment bien nous con-naître. Nous nous étions tout dit. Ou presque. Il semblerait que j'avais omis certains détails sur ma propre situation financière. Oups! encore. Mais elle ne m'a rien demandé, alors... Peut-être trop concentrée à se raconter. Quoi qu'il en soit, la situation me convenait parfaitement. Je n'avais aucune pression à révéler cer-tains détails. Il me suffisait d'écouter... et d'apprendre.

– Hé, Louis! Francine est tout simplement géniale! On s'entend à merveille! Et tu sais quoi? Réserve ma place pour le tournoi et le souper des membres! lui ai-je lancé, en passant près de la boutique du professionnel.

Il était debout, appuyé sur le mur, les bras croisés, et il regardait les gens terminer leur partie au dix-huitième. Il s'est contenté de sourire. Pas un mot. L'air songeur, un peu trop. Je me souviens de m'être demandé si tout allait bien. Mais je ne me suis pas attardée. Trop occupée à planifier le nouveau tournant de ma vie, de mon propre petit monde.

Rapidement, la nouvelle s'est propagée parmi les membres du club. On savait maintenant que j'allais prendre part aux activités de fin de saison, et cela en soi constituait un sujet de conversation particulièrement palpitant. Louis était l'initiateur de ce joyeux mouvement, et l'ambiance qui régnait autour de moi lorsque j'arrivais au club semblait me donner de nouvelles ailes. Je me sentais bien, j'étais heureuse… et millionnaire! Que demander de plus? Lorsque, enfin, est arrivé le jour du tournoi, j'étais déterminée à faire de cette expérience une réussite. Mon attitude était résolument positive, j'avais vraiment envie d'être entourée de ces gens si sympathiques. J'ai joué la ronde avec Louis, Francine et une quatrième personne. Incroyable! Je ne pensais pas qu'il était possible d'avoir autant de plaisir sur un terrain de golf. Bien entendu, pour moi qui jouais habituellement avec un café (oui, je sais, je suis totalement dépendante de cette drogue!), cette fois, ce n'était pas la caféine qui me donnait mon énergie mais un petit pourcentage d'alcool! Puis, le souper a été lui aussi l'occasion d'agrandir mon cercle d'amies golfeuses. Francine m'a présentée à Sylvie, une femme de belle apparence, divorcée depuis plusieurs années. Un peu à l'image de Francine, elle aussi avait des opinions bien personnelles sur le couple… et sur les hommes. Tout cela promettait des discussions vraiment intéressantes dans le futur. Lors de mon retour à la maison, je laissais flotter mes pensées. Et j'ai pris conscience que le point de départ de cette journée merveilleuse avait été, tout simplement, une attitude positive. Il ne faudrait pas que je l'oublie, cela pourrait me servir de nouveau plus tard.

C'est donc ainsi que s'est vraiment amorcée ma réinsertion sociale. Le départ numéro un de ma nouvelle vie de célibataire. Et j'étais absolument convaincue d'avoir fait sortir le meilleur de mon bois de départ. À mon avis, ma balle était en plein centre de l'allée. Et, qui plus est, en bonne position. À partir de ce point, je n'aurais qu'à utiliser les bons outils et mettre l'accent sur mon objectif. Mais c'était justement sur ce point que tout se compliquait. Je n'avais aucune idée où pouvait bien être le vert à atteindre. Alors, comment garder l'œil sur mon but? Oui, j'étais positive! Oui, j'étais déterminée! Mais pour faire quoi? Pas du tout certaine encore!

C'est alors qu'une certitude m'a frappée en plein visage. C'était grâce au golf que je prenais contact avec ma nouvelle réalité, ce serait aussi de cette façon que se révéleraient mes nouveaux objectifs! Tout se déroulait très vite dans ma tête à ce moment-là. Il le fallait absolument. Je ne devais surtout pas m'arrêter à analyser le pour et le contre des décisions que j'allais prendre. Parce que, inévitablement, j'y mettrais un stop. C'était trop fou pour moi. Plus je laissais aller mes pensées, plus tout se précisait. Je croyais que ce serait la meilleure chose à faire. Et s'il arrivait ceci ou cela. Qu'allais-je faire dans telle ou telle situation? Non, je ne devais pas me laisser arrêter par des détails! Mais je ne suis pas une fonceuse! *Eh bien, voilà! Une fois dans ta vie, tu le seras, Joanne!*

C'est de cette façon que j'en suis venue à la conclusion que je devais prendre quelques jours de recul. Seule avec mes démons, mes craintes, mes appréhensions... et les millions. C'est exactement cela, le raisonnement qui m'a amenée en Floride!

Chapitre 3

Hommes recherchent femme, belle apparence, sur les verts de golf!

UNE FOIS BIEN DIGÉRÉES TOUTES LES ÉMOTIONS DU DÉPART DE MES deux enfants et de ma sœur, je me sens beaucoup mieux. Honnêtement, c'est vrai. Ce n'est pas une tactique pour essayer de m'en convaincre. Paradoxalement, je l'admets, les cinq heures interminables qui ont suivi mon retour de l'aéroport ont été presque les plus pénibles de ma vie. Il y en a eu des pires, mais je ne reviendrai pas là-dessus. Je me suis juré de n'en parler à personne. Plus tard, je raconterai cet épisode et j'en rirai. Je crois... Refaire le tour de la maison, seule cette fois, est en fait un genre d'exorcisme. Enfin, c'est ma façon de le décrire! Parce que la transformation s'opère. Je passe graduellement de la femme bien entourée, protégée et protectrice à la fois, à celle qui rassemble toutes ses forces intérieures pour foncer. Et foncer dans quelle direction déjà? Vers une plus grande connaissance de moi-même, tout simplement. Pour ensuite y voir clair et déterminer précisément ce que je veux ou, surtout, ce que je ne veux pas. Bien entendu, je compte sur la Floride pour catalyser cette fantastique réaction en chaîne. Comme le disait si bien Lavoisier: «Rien ne se perd, rien ne se crée, tout se transforme.» Il est donc inévitable qu'elle vienne de moi, et de moi seule, cette fulgurante prise de conscience.

Évidemment, ayant déjà vécu une séparation il y a plusieurs années, j'ai une certaine expérience de la situation. Mais, comme je l'ai raconté dans la première partie de mon histoire, c'était dans une autre vie. Parce que, maintenant, je peux séparer mon existence en deux parties bien distinctes: «avant» et «après» Loto-Québec! On pourrait croire que la seule différence se situe dans le nombre de dollars. Pas tout à fait. Si je me souviens bien, à l'époque je n'avais pas eu l'opportunité de me payer un petit pèlerinage dans le sud pour, disons-le ainsi, «me retrouver». Étonnamment, j'ai réussi à panser mes petites blessures émotionnelles en trouvant un nouvel équilibre entre le travail et le bien-être de mes jeunes enfants. Les palmiers étaient plutôt des bouleaux complètement gelés. Quant au sable, j'ai dû me satisfaire des bancs de neige, ô combien immenses à Québec! Avec le recul, je peux confirmer que cette tactique a parfaitement bien fonctionné. Alors, pourquoi cette fois-ci dois-je me payer le luxe d'une agréable retraite sur des terrains de golf du sud?

Parce que je peux me le permettre, tout simplement! Allons donc, bien sûr que non! Beaucoup de gens qui ne sont pas millionnaires peuvent se permettre quelques jours sur la côte floridienne. En fait, le lieu n'est même pas un élément important dans l'équation. Le but de l'exercice est simple, je veux relever le défi d'être parfaitement autonome. Et cela, pour m'assurer que si jamais un homme entrait à nouveau dans ma vie, ce ne serait pas pour jouer le rôle de béquille. Il y aurait eu mille façons d'accomplir cette mission dans mon quotidien. Mais j'ai choisi délibérément de m'isoler de mes proches pour être certaine que je ne pourrais m'en remettre qu'à moi-même. De plus, je me suis assurée de mettre la barre tellement haute qu'à mon retour, tout me semblerait beaucoup plus facile. Je désirais me contraindre à affronter le quotidien en solitaire, en y ajoutant l'insécurité d'un milieu étranger. Me présenter à un club de golf, seule, dans une langue différente, un défi énorme pour moi! Ainsi, je misais sur le fait qu'après avoir réussi ce pari je serais éblouissante de confiance en moi! Voilà, c'était ma théorie. Restait à la vérifier.

**

Après ces longues minutes passées à réfléchir à tout le processus qui m'a amenée ici aujourd'hui, je m'approche enfin de mes bâtons de golf. Et je ne peux m'empêcher de sourire. Seule au monde, comme Tom Hanks dans son film. Sauf que c'est Callaway, et non Wilson, mon meilleur ami! Alors, j'ouvre la porte du garage et le coffre de la voiture. Je dépose méthodiquement le sac de golf au fond. Puis, je place mes chaussures tout près. Je prends tout mon temps, j'ai la soirée entière pour le faire. Tout au long de ce petit rituel, j'apprivoise ce qui se prépare. Comme si je n'étais pas encore convaincue. *Je vais vraiment faire ça?* Il le faut bien, c'est précisément pour cette raison que je suis ici! Et, qui plus est, ce n'est pas comme si j'avais une autre option. En fait, oui, il y en aurait peut-être une autre. Je pourrais m'enfermer à double tour dans ma petite maison paradisiaque, m'installer paresseusement entre la piscine creusée et le quai du canal, sous les palmiers. Et savourer des mojitos. Jusqu'à ce que les cinq jours soient passés. Puis, prendre mon vol de retour en me traitant de tous les noms. *Espèce de peureuse, trouillarde, lâche!* Ouf! non. Juste à la pensée d'un échec pareil, les frissons m'envahissent. J'ai vu tellement pire! Ce n'est pas une petite partie de golf dans un pays étranger, avec des joueurs étrangers, dans une langue étrangère… qui va me faire reculer de mes objectifs! D'autant plus que je suis millionnaire, alors de quoi est-ce que je me plains? Non, je n'ai pas le droit de m'apitoyer sur mon sort. Plus maintenant alors que le gros lot de Loto-Québec est entré dans ma vie. C'est un droit que j'ai perdu.

Juste avant d'aller au lit, je fouille dans les armoires pour récupérer les tisanes à la camomille que ma sœur avait achetées lors de notre première visite au marché. C'est le moment de vérifier si elles sont aussi efficaces en solitaire. J'accompagne ce divin breuvage d'un bulletin de nouvelles, et vlan! gagné! J'ai passé l'épreuve de la première nuit seule. C'est l'alarme de mon téléphone cellulaire qui me réveille. Six heures trente. Noirceur totale. Je l'admets, il est difficile de croire que, dans une heure, je serai sur le tertre, prête à frapper mon coup de départ. Il était prévu que j'aie très peu de temps avant de quitter la maison. Surtout si l'on tient compte des trente minutes de voiture nécessaires pour me rendre au club. Pas le temps de trop réfléchir, voilà tout.

Lorsque j'arrive dans le stationnement, le jour se lève à peine. Et je n'ose même pas me demander ce que les vingt-quatre prochaines heures me réservent. Heureusement, l'un des préposés vient me rejoindre avec la voiturette, mettant fin à mon hésitation naissante.

– Seule aujourd'hui, madame Joanne? Vous savez, ça va être encore très beau. Vous avez bien choisi votre séjour, commence-t-il, en anglais bien sûr, avec sa bonne humeur habituelle.

– Oui, Chris, je vais être seule les prochains jours. Ma sœur et mon fils sont déjà partis pour le Canada, lui dis-je, commençant à ressentir son attitude positive contagieuse.

Chris est un employé remarquable. Comme tous ses confrères, d'ailleurs. Il nous a adoptés depuis le début. Moyennant un léger pourboire, bien sûr. Alors, dès qu'il voyait ma voiture, il s'empressait de venir nous rejoindre au stationnement pour y prendre les sacs et nous emmener au club. Il va sans dire que ce matin, j'apprécie énormément sa présence. En faisant la conversation avec lui, toute la tension qui était accumulée semble graduellement se dissiper. Et presque comme par magie, je me sens redevenir moi-même. Je sens peu à peu que la golfeuse reprend ses droits et montre la sortie au nuage d'anxiété qui l'entourait. Je prends une grande respiration. Oui! Je me sens vraiment bien. Je suis heureuse d'être ici, en ce moment. Quelle bonne décision j'ai prise! Le pourboire est à la mesure de mon état. Chris me regarde, stupéfait. *Have fun*, ai-je le goût de lui dire. Mais je crois qu'il peut lire dans mes yeux. Je suis convaincue qu'il sera là demain matin.

Lorsque j'ai planifié ces quelques jours en solitaire, je me suis assurée de mettre les chances de mon côté. Un défi à la fois, c'est suffisant pour moi ! Ainsi, j'ai eu l'opportunité de jouer quelques parties avec ma sœur et mon fils sur ce même terrain, au cours des jours précédents. Ce qui met en place deux éléments majeurs. Je connais très bien le terrain mais, surtout, le personnel commence à s'habituer à ma présence ici. En fait, ce n'est probablement pas pour la qualité de mon jeu que l'on m'a remarquée ! J'aurais bien aimé, mais je présume que mon accent francophone y est pour beaucoup. D'ailleurs, il a été le début de bien des conversations amicales. On voulait connaître mon origine, quelques détails sur mon patelin. Puis, la discussion se prolongeait sur tout autre sujet qui pouvait effleurer notre esprit. Le golf nous intéressait, bien sûr, mais aussi la température, les conditions de jeu ces temps-ci ou alors ce que je préférais de la Floride. Nos discussions matinales m'ont donc rapidement permis de développer un sentiment d'appartenance. Ou, pour le moins, une impression de me sentir chez moi. Je n'en demandais pas plus dans les circonstances. Et ce matin, je récolte le fruit de ces liens. À un point tel que je crois qu'ils font vraiment une différence.

– Bonjour ! Seule aujourd'hui ? Les autres ne sont pas là ? me demande le préposé. Décidément, c'est la phrase clé ce matin !

– Bonjour ! Non, ils ont déjà quitté pour le Canada. Je ne pars que samedi, lui dis-je, presque timidement.

– Alors, très bien ! Qu'est-ce que vous préférez ce matin ? Je peux vous intégrer à un groupe qui part bientôt. Mais vous pourriez aussi partir en solo tout de suite. C'est comme vous voulez, me propose-t-il amicalement.

– Puisque vous me le proposez, je crois que je préférerais partir seule. Ce matin, du moins. Demain, on verra, c'est encore loin ! Merci beaucoup, j'apprécie énormément ! ajouté-je, tout simplement.

Wow ! Je n'en demandais pas tant ! Honnêtement, je ne vois pas de meilleure façon de casser la glace et d'entreprendre mon initiation à la vie de golfeuse célibataire et parfaitement autonome. Dès que mon sac est déposé dans la voiturette par le préposé, je m'installe au volant. En roulant tranquillement vers le premier départ, je regarde autour de moi. Encore une fois, je prends pleinement conscience de ma chance. Est-ce que je serais ici sans la loterie ?

En moins de trois heures, la partie était déjà chose du passé. Tout simplement magique ! Aucun stress, aucune anxiété, des coups précis, des roulés bien dirigés. Que puis-je demander de plus ? Puis, une fois installée dans mon auto, je réalise qu'il est encore très tôt. Pas étonnant, avec un départ à sept heures trente ! Alors, pourquoi pas ? Je prends la route en direction du plus grand centre commercial de la région. Sawgrass, j'arrive ! Je me souviens vaguement que je désirais faire l'achat d'une paire de boucles d'oreilles en or blanc. Sinon, n'importe quoi fera l'affaire, je trouverai bien quelque chose ! Sensationnel ! Je passe des heures à arpenter les allées, je visite les boutiques presque une à une. Je savoure des yeux tout ce qui attire mon attention. Allègrement, je flotte sur mon petit nuage de femme millionnaire et insouciante. En fait, c'est ce que dégage mon attitude. Cependant, un œil attentif pourrait sans doute remarquer une légère démesure à cette extase. Et si Sawgrass était mon whisky... que j'engloutis sans aucune retenue, par crainte de je ne sais quoi. La peur de quelque chose d'inévitable que je désire remettre à plus tard. C'est juste une supposition, peut-être est-ce la hantise du retour. Dans une maison pleine... de solitude.

Cependant, lorsque mes limites à étirer le temps sont atteintes, je dois me résoudre à retourner à la maison. Mais ça va. Beaucoup mieux que je ne le croyais. Peut-être en suis-je enfin au point où je suis devenue parfaitement autonome et confiante. En fait, je sais très bien que je l'étais avant la rupture ! L'objectif est différent. Mon but n'est rien d'autre que de dépasser mes limites. Aussi simple que cela ! Je désire atteindre l'autonomie et la confiance qui doivent être nécessairement attachées à ma condition. Malheureusement, je n'ai pas la moindre expérience en tant que millionnaire et célibataire à la fois. Bien entendu, si j'avais eu la chance d'en trouver parmi mes connaissances, j'aurais pu m'instruire abondamment sur la question. Quoi qu'il en soit, je devrai m'en remettre à mes propres essais et erreurs pour parfaire mon apprentissage. Ma réflexion se poursuit. Je suis allongée près de la piscine. Un mojito et un livre comme seuls compagnons. Une brise légère me chatouille le visage. C'est un réel rafraîchissement parce que la température ressentie en cette fin d'après-midi oscille autour des quarante degrés Celsius. Mon aversion pour l'hiver n'est un secret pour personne. Il faut donc comprendre ici que je suis au paradis. Jamais trop chaud pour moi. La preuve en est que ma peau est complètement sèche. Pas la moindre goutte de sueur. Il va sans dire que plonger dans la piscine pour se rafraîchir est totalement inconcevable pour moi. Mais la mienne frôle les trente-trois degrés Celsius en ce moment. Alors, j'y vais sans aucune retenue.

Pendant ces instants de bonheur total, à me laisser flotter et caresser par le soleil brûlant, mes pensées vont et viennent librement. Cette sensation de bien-être délicieux me transporte presque dans un état de transe. Des questions surgissent. Sans réponse. *Qu'est-ce que je m'attends à trouver ici, finalement? Pourquoi faire tout cela? Qu'y a-t-il de si différent à être célibataire? Faut-il nécessairement réfléchir plus lorsque l'on est millionnaire?*

Le lendemain matin semble annoncer le jour de la marmotte. Même lever, même déjeuner, même arrivée au club, même heure de départ. Cependant, j'ai l'impression que j'ai tiré mes conclusions un peu trop rapidement. Il semble que, aujourd'hui, le destin a mis sur ma route quelques éléments pour entreprendre l'apprentissage de ma nouvelle réalité de femme libre. Et, par un heureux hasard, je suis dans une forme resplendissante, totalement disposée à m'ouvrir à ce que la vie m'offre. D'ailleurs, je l'ai déjà affirmé haut et fort, une attitude positive est garante d'une journée réussie. Il suffit d'y mettre un peu du sien et tout ira bien. Pas toujours, mais souvent.

— Bonjour, madame! Comment allez-vous aujourd'hui? Une journée splendide s'annonce! s'exclame le préposé à la boutique du club.

— Ça va très bien! Oui, en effet, ce sera magnifique! Je ne me rappelle plus le dernier jour où il a plu! En plus, les conditions du terrain sont particulièrement belles, dis-je, impatiente de me retrouver enfin sur le départ du trou numéro un.

— Aujourd'hui, vous avez encore le choix. Vous pouvez partir seule comme hier. Mais vous pouvez aussi vous joindre à un groupe de deux personnes. C'est comme vous voulez, m'annonce-t-il, avec une certaine fierté de pouvoir ainsi satisfaire sa cliente du Canada.

— Savez-vous, je crois que je ne jouerai pas seule cette fois-ci. Alors pouvez-vous m'indiquer avec qui vous me jumelez? demandé-je, en regardant autour pour tenter d'identifier les deux inconnus qui partageront cinq heures avec moi.

— Ce sont deux messieurs. Ils sont à l'extérieur, en train de se préparer. Ils ne se sont jamais vus auparavant, c'est la première fois qu'ils jouent ensemble. Vous allez tous faire connaissance en même temps! dit-il, avec son ton habituel, c'est-à-dire très enjoué.

Et, d'une façon toute naturelle, il me raconte qu'il a eu un peu de temps pour faire la conversation avec eux quelques instants auparavant. Pendant son compte rendu, je crois percevoir une pointe d'instinct protecteur dans sa façon de s'exprimer, comme s'il voulait bien m'informer et que je sache un peu plus à qui j'avais affaire. Étonnant! Mais peut-être pas. Certaines personnes possèdent le don de cerner facilement la personnalité des gens qu'ils côtoient. Et parfois, ils réussissent à le faire même en face de parfaits inconnus. Ce n'est pas étonnant que ces individus perspicaces se retrouvent souvent à travailler auprès du public. Bien entendu, je prends note de ces informations, mais d'une oreille légèrement distraite. C'est que je ressens un brin de stress qui s'installe graduellement. Et il ne le faut absolument pas. Alors, je concentre mon énergie à mettre un frein à cette désagréable sensation. Il suffit de me raisonner un peu, de me secouer pour me ramener à l'ordre. *Tu as vu pire que ça dans ta longue existence, ce n'est pas la première fois dans ta vie que tu joues au golf avec des étrangers. Et ce ne sera certainement pas la dernière !*

À l'extérieur, ma voiturette est prête, tout a été installé. Comme tous les matins précédents. J'ai tout mon temps. Alors je sors quelques balles de mon sac pour les placer dans le compartiment devant. Et j'enfile mon gant à ma main gauche ; je l'ai choisi en filet. C'est toujours ce que je fais en Floride. Je le trouve beaucoup plus frais et confortable.

Complètement perdue dans mes pensées. C'est exactement dans cet état que je me trouve lorsque l'un de mes partenaires de jeu s'approche de moi. Inutile de préciser que je l'accueille avec un mouvement de surprise pas très discret. En fait, cela se révèle plutôt salutaire puisque la conversation s'amorce d'une façon humoristique. Instantanément, mon niveau de stress vient de baisser d'un cran ou deux. Ouf ! je me sens déjà beaucoup mieux !

– Bonjour, madame ! Je crois que nous jouons ensemble ce matin, n'est-ce pas ? Je suis Robert, me dit-il en me tendant sa main.

– Moi, c'est Joanne ! lancé-je en guise de réponse.

– Ah ! très joli accent ! On m'a dit que vous étiez Canadienne-Française. Moi, je vis en Arizona. On se retrouve au milieu, on dirait ! Vous êtes en vacances par ici ? ajoute-t-il en riant.

– Oui, je suis en vacances depuis quelques semaines. Mais je pars samedi. Heureusement, à mon arrivée, la saison de golf va tout juste commencer à Québec, dis-je, sentant un certain intérêt pour l'histoire de ce gentil monsieur arrivé directement du désert.

– Alors, la Floride te permet de prolonger ta saison de golf ! N'est-ce pas le plus bel endroit du monde pour ce sport ? Dis-moi, est-ce que tu viens ici chaque année ? lance-t-il, visiblement intéressé par la suite.

— Oh oui, j'ai attrapé la maladie il y a quelques années, lors de ma première visite. C'était à Walt Disney World. Ensuite, j'ai découvert cet immense terrain de jeu pour golfeurs ! Alors, c'est devenu un incontournable ! C'est un petit coin de paradis, vraiment, et ça me permet d'échapper à quelques semaines d'hiver, que demander de plus ! Dis-moi si je me trompe, mais l'Arizona, ce n'est pas si mauvais que ça pour le golf ! continué-je, résolument déterminée à comprendre comment on peut quitter un État soleil pour un autre.

— Ah ! tu sais, je suis divorcé et nouvellement retraité. Alors, l'hiver, je m'installe ici pour quelques mois, j'y ai une maison. Ça me permet de changer de paysage, tout simplement, de voir autre chose. Et toi, est-ce que ton conjoint est ici avec toi ? me demande-t-il, cachant à peine son intérêt marqué pour ma réponse.

Là-dessus, notre troisième partenaire s'introduit gaiement dans notre conversation. À mon très grand soulagement, faut-il le dire ! Quel échange intéressant ! Mais je sens bien un petit quelque chose de particulier. Je ne sais comment le dire. Bien sûr, à plusieurs occasions j'ai joué avec des inconnus dans mon patelin, mais sans ressentir toutefois l'intérêt de l'autre partie. *Allons donc ! Calme-toi, Joanne !* C'est probablement l'effet de jouer ici pour la première fois sans être accompagnée par quelqu'un que je connais bien. Cet homme-là ne cherche pas du tout à me séduire. Comment peut-on démontrer de l'intérêt si tôt après avoir rencontré une personne ? En fait, je n'ai qu'à rationaliser la situation. Me voici, tout récemment retournée sur le « marché » des célibataires, me préparant à jouer une partie de golf en Floride. Avec un homme tout à fait charmant, doté d'un charisme indéniable. Pas étonnant que j'éprouve des sensations différentes. Mais attention, je ne dois surtout pas confondre l'intérêt de gens courtois et interpréter cela pour autre chose. Cela confirme en tous points ce que je savais. De toute évidence, j'ai besoin d'une période d'adaptation à ma nouvelle situation. Cette réflexion s'effectue très rapidement en ce moment dans mon cerveau. Il le faut, car je suis face à une décision importante. Ou je prends mes jambes à mon coup et je déguerpis, juste pour éviter d'être confrontée à une situation délicate, ou je reste et j'assume que ce gentil monsieur est simplement agréable à mon égard.

– Bonjour! Nous jouons ensemble, n'est-ce pas? Je suis Tom! nous dit joyeusement le nouvel arrivant qui se joint à nous.

Alors, tout naturellement, comme si cette journée n'en était qu'une parmi d'autres, je tends la main à notre compagnon de jeu et je me présente. Les dés sont jetés, je saute dans l'arène. Cependant, j'ai l'esprit tranquille, mes remparts sont bien établis autour de moi. Personne ne les voit, mais je sais qu'ils sont bien présents. C'est suffisant pour me rassurer. Attrapant le volant de ma voiturette fermement, je roule derrière les deux autres engins en direction du premier départ. Ce sera une belle journée, et j'ai l'intention d'en profiter au maximum. Je parle du golf, bien sûr!

Fulgurants! Mes coups de départ sont tout simplement fulgurants! La golfeuse est en feu! Après trois trous, le tout se déroule à la perfection. Robert, monsieur Arizona, est un vrai gentleman. D'une délicatesse remarquable, son attention m'est totalement dédiée. À un point tel que s'éloigner de moi pour aller frapper son coup semble l'ennuyer. Quant à moi, je dois dire que je trouve la situation plutôt amusante et distrayante. Tom, lui, ne se trouve jamais très loin. Et lorsque l'occasion le permet, c'est-à-dire lors des coups de Robert, tout son intérêt se porte radicalement sur moi. En fait, cela donne un tableau particulièrement ahurissant. Selon mes standards, il va de soi!

– C'est stupéfiant de te voir jouer! Et, surtout, très agréable à regarder! me lance Tom, en marquant ses paroles de gestes d'admiration.

– Est-ce que c'est ta tactique pour me déconcentrer ? Tu vas devoir trouver autre chose, tu sais ! Je l'avoue, cela fonctionnerait peut-être si j'avais vingt ans, mais là ! lui dis-je, en m'amusant de sa façon directe de me complimenter.

– Mais c'est la vérité ! Et encore, je ne dis pas tout ce que je pense ! J'aime vraiment jouer au golf avec toi ! Avoue-le, on a beaucoup de plaisir ensemble, ajoute-t-il, déterminé à me faire comprendre que nous avons assurément certaines affinités.

Quant à Tom, il me parle beaucoup de lui. En fait, je crois que c'est son sujet de conversation préféré. Sa personnalité enjouée lui fait honneur. C'est un homme extrêmement fier, donc un peu orgueilleux, si je comprends bien. Mais cela relève de mon interprétation personnelle. C'est un Irlandais, un vrai. Il est arrivé aux États-Unis très jeune avec ses parents, et ils se sont établis à Boston, où il vit depuis ce temps. De toute évidence, s'il a remarqué mon physique, je peux confirmer que, moi aussi, je l'ai fait. Mais pas de façon délibérée, j'ai juste porté attention à ce qui me sautait aux yeux. Des muscles très bien définis, un visage harmonieux, des yeux bleus perçants, un homme grand et d'une bonne carrure. Ah ! j'oubliais ! Cheveux châtain clair portés négligés, avec des reflets blondis par le soleil ! Oui, je dirais que c'est un spectacle assez intéressant à regarder !

Quant à Robert, son physique pourrait se comparer à Tom, mais avec quelques nuances. Soustrayons plusieurs centimètres sur la hauteur et ajoutons-les au niveau de l'abdomen. Puis, enlevons les cheveux du dessus de la tête, portons-les au menton. Et oublions le blond tout simplement. Honnêtement, je trouve à Robert un charme indéniable. Par contre, celui-ci se retrouve davantage dans ses manières et son comportement que dans son apparence. Sa façon de m'aborder est attentionnée, ses questions me démontrent qu'il essaie vraiment de me connaître. Cependant, même un œil peu averti comme le mien dans ce genre de situations peut remarquer que Robert semble sous pression. C'est incontestable, Tom prend un malin plaisir à ce duel. Et pendant qu'ils se relancent à coup de paroles séductrices, moi, je performe.

Alors que Tom se dirige vers sa balle, Robert s'approche de moi et en profite pour me détailler ses différentes propriétés. Tout ce qu'il me raconte sur son style de vie met en évidence une condition financière apparemment supérieure à la moyenne. Mais j'ai appris à ne surtout pas me fier aux apparences. Certaines personnes ont un talent incontestable pour donner une impression de richesse. D'ailleurs, l'un d'entre eux m'a expliqué que c'est en quelque sorte une philosophie de vie. Se coller à des riches attire la richesse, semble-t-il. Peut-être, je n'en sais rien. Je ne pratique pas cette religion. La mienne me dit de faire le contraire! Cependant, je suis convaincue qu'il n'est pas du tout dans les habitudes de Robert de se mettre en évidence de cette façon. Se pourrait-il que la pièce qui se joue actuellement devant moi soit réelle? Deux hommes s'amusent à se mettre en évidence pour attirer mon attention! Non, ce n'est pas possible. J'imagine tout cela. Mon nouvel état de célibataire m'entraîne dans un fantasme romantique. Comme bien d'autres, j'essaie de me prouver que j'ai encore un physique pour plaire au sexe masculin. Alors, j'en suis au point où j'interprète les gentilles paroles de mes compagnons de jeu comme des avances à peine déguisées. Il est temps de revenir à la réalité. Je m'effraie! Où est passé ma logique, l'ai-je laissée à Québec?

– Mais quel coup magnifique! Joanne, tu m'impressionnes tellement! Veux-tu m'épouser?

Un coup de marteau ne m'aurait pas sonnée plus fort! Robert, que je prenais pour l'homme discret, vient de jeter son jeu à la face de Tom! Et lui aussi est sous le choc. En fait, il s'écoule des secondes interminables avant qu'une autre parole soit entendue. Elle sort de ma bouche. «Sois sérieux, Robert, tu n'as aucune idée de ce qui t'attend! Je te coûterais tellement cher, tu n'as pas idée!» Wow! Je suis étonnée par ma réponse instantanée. Pas mauvais pour une débutante dans la jungle des célibataires de plus de quarante ans! La partie s'achève, mais elle est loin d'être terminée. Rapidement, Tom fait diversion et ramène l'attention du groupe sur la partie. Son silence m'étonne. Je m'attendais à une réplique à cette attaque en règle. Rien de moins. Mon Irlandais planifie une embuscade, j'en suis persuadée. Tom devrait se tenir sur ses gardes. L'effet de surprise, c'est mortel ! Je m'amuse à la folie. C'est fou ce que le golf peut être formateur !

– Joanne, je reviens jouer vendredi. Vas-tu y être ? J'aimerais qu'on joue ensemble ! lance Tom, en me regardant droit dans les yeux. Son regard perçant couleur d'acier ne laisse aucun doute. Il est très sérieux.

– Je n'en sais rien, Tom. Je pars samedi. Alors, tout dépendra de ce qu'il me reste à faire à la maison, dis-je, totalement prise au dépourvu cette fois.

Je devrai y réfléchir. C'était drôle. Mais maintenant, je commence à sentir la soupe chaude. Du moins, l'inconfort grandit. Et le reste aussi, comme la crainte ou l'incertitude. Heureusement, j'ai encore le temps d'y penser. Rien ne presse. Par contre, je sens déjà le mouvement de recul. Ce sera plutôt difficile de renverser la vapeur.

La partie se termine, et nous nous quittons tous les trois. Les hommes se saluent avec courtoisie. Je prends un moment pour montrer toute ma reconnaissance à Robert, pour les beaux moments qu'il m'a fait vivre. Et, face à son interrogation, je lui glisse quelques mots. Juste pour lui faire comprendre à quel point j'ai apprécié sa compagnie. Mais je suis seule depuis peu de temps et j'ai besoin de me retrouver avant de penser à aller plus loin. Quant à Tom, il doit partir rapidement. Une obligation, semble-t-il. Mais il prend la peine de réitérer sa proposition pour vendredi.

Paradoxalement, je suis venue ici pour jouer au golf. Alors, pourquoi m'en priverais-je ? Je ne tiens pas à revoir Tom, je crois. Mais vendredi est le dernier jour où je peux jouer. Qu'à cela ne tienne, j'irai au golf ! Par contre, j'arriverai beaucoup plus tôt.

Et je jouerai seule, juste pour profiter une dernière fois de mon parcours en Floride.

À mon arrivée, mon préposé préféré m'accueille, comme à l'habitude. Il me dit que c'est triste que mon séjour soit déjà terminé. D'autant plus que l'on prévoit du soleil les prochains jours. Je prends quelques instants pour discuter avec l'employé au comptoir, celui qui m'a toujours si gentiment offert de partir seule ou en groupe. Lorsque j'arrive à ma voiturette, tout est déjà préparé, je suis prête à partir pour une dernière ronde, seule cette fois.

– Bonjour, ma belle ! souffle doucement Tom à mon oreille.

Mon cœur cesse de battre ! Je me sens bouillante. J'ai l'impression que mes jambes vont céder. Je suis totalement paralysée. Impossible de faire sortir le moindre son de ma bouche. *Mais qu'est-ce qui m'arrive ?* Il faut absolument que je comprenne ce qui se passe dans ma tête. Ce n'est pas possible, je dois reprendre mes esprits. Non, ça ne peut pas être l'explication, je ne peux pas avoir espéré sa présence inconsciemment. Je suis en parfait contrôle de mes émotions, donc ce n'est pas cela. Mais tandis que j'essaie de me convaincre que cet homme ne me fait aucun effet, il pose ses mains sur mes hanches, et me retourne lentement, face à lui. Toujours ce regard ! «Est-ce que je place ton sac dans ma voiturette ?» Mon système nerveux tente, tant bien que mal, de traiter l'information. Et les implications de ma réponse. Il semble qu'une autre entité ait pris possession de mon sens de la parole, parce que je m'entends dire : «Je crois que oui.»

Je dirais qu'un nuage flotte autour de nous. La partie est mémorable. Pas tant pour la précision des coups que pour la sensualité qui nous enveloppe. Ses mains qui m'effleurent. Son regard qui m'enveloppe en permanence. J'essaie de comprendre ce qui se passe. Comment réagir ? Je suis aux États-Unis, avec un Irlandais qui vit à Boston. Et je m'envole demain pour Québec. Mais, c'est parfait ! Aucune chance que je m'attache à lui, ce n'est qu'un parcours de golf, après tout! Par contre, je veux le vivre pleinement, ce parcours, avec lui. Juste profiter du moment présent et de cette chimie magique qui s'est installée entre nous. Ensuite, je me dégage de toute responsabilité. Je partirai sans regret.

– Dis-moi, Tom, et ta femme, elle fait quoi pendant que tu es ici?

– Elle est au condo et elle regarde la télé. Tu sais, ça fait un bon moment que notre couple ne fonctionne plus, question de temps, tout simplement, me répond-il vaguement.

Nous ne reparlons plus de ce sujet. Juste tous les deux, résolument décidés à profiter de l'instant présent, d'une journée magnifique. Un lien mystérieux s'installe entre deux personnes. Le conscient sait qu'il n'y aura aucune suite. Mais je crois que l'inconscient, lui, l'ignore. C'est ce qui fait tout la beauté de la chose.

Je quitte la Floride avec le sentiment d'avoir atteint mes objectifs personnels. J'ai définitivement gagné en autonomie et en confiance. J'ai pris le recul nécessaire pour que la rupture avec mon conjoint ne soit plus un obstacle. Cette relation est enfin derrière moi. J'ai encore du chemin à faire, mais c'est un beau voyage. Et plus j'y réfléchis, plus je crois que les millions deviendront un élément critique quand le moment sera venu d'envisager l'avenir en duo. Mais il reste encore beaucoup d'eau à couler sous les ponts! En attendant, je veux naviguer en solo.

Chapitre 4

Après les millions
de Loto-Québec, les feux!

$\mathcal{L}$ES SEMAINES S'ÉCOULENT TRANQUILLEMENT DEPUIS MON RETOUR. Mon quotidien reprend son cours normal. Le club de golf devient l'endroit où je passe la plupart de mes temps libres. Graduellement, je m'aperçois que m'y retrouver est non seulement bon pour mon jeu, mais surtout pour l'aspect social. Les relations qui s'y développent enrichissent assurément les liens d'amitié. Et, de toute évidence, c'est exactement ce que je désire... pour l'instant.

J'ai mis de côté les offres de rencontres proposées par mes amies, du moins temporairement. Non, non, je ne me referme pas sur moi-même. Pas du tout. Et ce n'est pas vrai non plus que je développe une frustration contre les hommes. Je ne me dirige aucunement vers un célibat délibéré. Par contre, les expériences vécues en Floride me poussent davantage vers la réflexion. Il devient de plus en plus clair que je devrai déterminer précisément ce à quoi j'aspire. Placer le physique en avant-plan, au risque de récolter un tempérament volage, sans contenu? J'ose à peine imaginer l'effet qu'aurait la révélation des millions! Alors, faut-il résister à cette attraction charnelle et, au contraire, mettre l'accent sur l'intelligence émotionnelle? Bien sûr, moi aussi, je sais très bien que la situation idéale serait de retrouver tout cela chez le même individu. Cependant, l'échantillon très restreint de ce que j'ai connu jusqu'à maintenant m'amène à croire que, dans le groupe d'âge où je me situe, cet être parfait est en voie d'extinction. Mieux vaut pour moi continuer à réfléchir! D'ailleurs, c'est un sujet que j'ai l'intention de développer avec mes amies divorcées depuis plusieurs années. Cela promet d'être divertissant!

La vie familiale est le pilier de mon quotidien. Et c'est très bien ainsi. Veiller à ce que tous les besoins de mes deux jeunes adultes étudiants soient comblés est presque une tâche à temps plein. J'exagère, c'est certain! Mais peut-être pas. On me dit occasionnellement que je m'occupe trop d'eux, que je devrais leur laisser plus de responsabilités. À cela, je réponds qu'ils ont bien le temps d'en avoir. Et, comme j'ai du temps pour le faire, en fait, c'est moi que je gâte!

Parallèlement à tous les changements qui se déroulent dans ma nouvelle vie de célibataire millionnaire, j'ai l'occasion d'observer de plus près ceux qui se produisent chez mes enfants. Parce que eux aussi sont à l'étape où les relations amoureuses se forment. Et certaines différences me sautent aux yeux! À un point tel que, parfois, je regrette presque mes dix-huit ans! Un élément supplémentaire à analyser. Avec un angle complètement différent. Alors que tous mes plans de jeune fille se sont envolés en fumée, je me retrouve dans la situation où je vis le fameux paradoxe. Une femme d'âge mûr à la conquête de l'âme sœur, au même moment où ses enfants sont à l'âge de s'y faire prendre, eux aussi. Non, je ne devrais pas le dire comme ça. Il semble en ressortir de l'insatisfaction et de la frustration. Étrange, n'est-ce pas?

Si cette situation m'apparaît inusitée, j'ose à peine imaginer ce que les enfants eux-mêmes en pensent. «Et puis, ma chouette, comment ça se passe avec ton nouveau petit copain?» «Super bien! Et toi, maman?» Ouf! encore une fois, imagée de cette façon, l'ironie de la situation apparaît grossie mille fois sous la loupe! Même si je trouve un côté humoristique à ce contexte inhabituel, il n'en reste pas moins que je dois en avoir le cœur net. Et comme rien n'est plus direct qu'une question lorsque l'on désire une réponse, c'est ce que je fais. Mais attention, je crois qu'il est nécessaire d'apporter certaines précisions sur mes interrogations. Je ne désire pas une permission, je veux leur opinion. De toute façon, dans les faits, cela ne présente aucune différence. La raison est simple, nous naviguons dans la même direction. Les échanges que nous avons sur le sujet me le prouvent hors de tout doute, des valeurs identiques nous animent. Une fois encore, la réalité me confirme que l'argent n'y change absolument rien. Mes enfants n'ont pas l'intention que leur vie amoureuse soit aussi tumultueuse que des montagnes russes. Ils recherchent la bonne personne, tout simplement. Et leurs plans sont de fonder une famille et vivre heureux jusqu'à la fin de leurs jours. J'ai une impression de déjà-vu ! Quoi qu'il en soit, je prends bien le temps de leur expliquer qu'il arrive parfois que le destin ait d'autres plans que les nôtres. Mieux vaut alors travailler dans le même sens que lui.

Donc, nous recherchons notre idéal, mais les objectifs sont différents. Fonder une famille ne fait pas partie de mes buts. Peut-être est-ce ce qui complique légèrement la donne dans mon univers des plus de quarante ans. Ce n'est pas encore évident dans mon esprit, mais il y a là quelque chose à éclaircir. À vingt ans, le long terme allait de soi. À quarante, c'est difficile à préciser. Mais je suis catégorique, quelque chose a changé. Quoi qu'il arrive, il est primordial que je rassure mes enfants concernant la suite des choses. Qu'ils se le tiennent pour dit, ils ne verront pas défiler à la maison toute une suite de candidats potentiels. Et je m'attends au même comportement de leur part. Un pacte tacite entre la mère, la fille et le fils ! Quant à l'argent, ils sont d'accord avec moi, le plus tard sera le mieux pour les révélations. C'est franchement rassurant de savoir qu'ils n'utiliseront pas leur portefeuille pour épater la galerie. Et attirer les vautours.

Une fois le sujet de nos fréquentations clarifié, je me sens nettement soulagée. Par contre, les enfants m'ont admis n'avoir aucune crainte. Bien sûr, ils ont grandi dans un contexte où, chez les amis, la norme est d'avoir un beau-père, une belle-mère, et parfois des demi-sœurs ou demi-frères. Ils vivent dans cette réalité, et leur environnement social est naturellement basé sur l'adaptation. La famille, les amis et l'entourage vivent de cette façon. Alors, maman se sépare, maman refera sa vie, c'est évident. Si, au moins, tout était aussi simple dans mon esprit.

Rien ne vaut une situation familiale transparente ! Une fois les choses mises au clair et les pendules remises à l'heure concernant ma nouvelle situation, il est temps de passer aux choses vraiment sérieuses. En fait, le célibat n'est-il pas justement l'occasion de me libérer du carcan qui m'étouffait depuis ces dernières années ? Tous ces regards glacials du conjoint un peu trop contrôlant. Et ces silences qui duraient des jours et des jours, où toute communication était radicalement impossible. Ces sorties prometteuses qui ont été totalement gâchées par des reproches. Sans oublier les paroles refoulées par crainte de représailles ou pour préserver une harmonie illusoire. Je n'arrive pas à y croire, j'ai vraiment supporté cela aussi longtemps. Pas étonnant que j'aie autant gagné en maturité ! N'est-ce pas ce qu'on dit ? C'est dans l'adversité que l'on peut atteindre notre plein potentiel de réalisation de soi. Donc, je peux supposer que j'ai gagné au moins un point d'intelligence émotionnelle grâce à mon acharnement à faire durer ce couple. Merveilleux ! Maintenant, il est grand temps de laisser la femme en moi s'épanouir pleinement. D'ailleurs, qui ne rêve pas de s'envoyer en l'air occasionnellement ? C'est exactement ce que je vais faire samedi soir !

— Maman, tu fais quoi samedi soir ? me questionne mon fils à son retour de l'aéroport.

— Je n'ai absolument rien de prévu pour l'instant. Comment a été ton vol aujourd'hui ? dis-je, sachant qu'il revenait d'un aller-retour à Trois-Rivières avec son grand-père en Cessna.

— Le vol, super ! Je pense que Papi a aimé ça, il est prêt à recommencer n'importe quand ! Et en plus, on avait pas mal de turbulence, à cause de la chaleur au sol, précise-t-il, satisfait d'avoir fait vivre une belle expérience à son passager.

– Oh tant mieux ! Mais honnêtement, j'aurais été très surprise s'il n'avait pas aimé son premier vol avec son petit-fils. Tu sais, pour lui, ce n'est pas rien, hein ! Et je le comprends, moi, j'ai déjà hâte d'y retourner ! que j'ajoute tout en souhaitant une offre éventuelle.

– Justement ! J'ai réservé l'avion pour samedi soir. Les feux Loto-Québec, ça te tente ? me demande-t-il, avec un large sourire, comme s'il connaissait déjà la réponse.

– Non ! Tu n'es pas sérieux ! Tu veux dire qu'on va faire un vol de nuit pendant les feux d'artifice ? On peut vraiment faire ça ? dis-je, ne pouvant absolument pas croire ce que je venais d'entendre.

– Bien sûr que oui, on peut ! J'ai vérifié la météo. C'est la perfection ! Je pense que tu vas trouver ça pas mal à ton goût ! J'en ai parlé avec mon instructeur à l'école d'aviation, il dit que ça fait partie des incontournables à Québec ! ajoute-t-il fièrement, avec les yeux brillants d'un jeune pilote qui se prépare à vivre une nouvelle expérience.

Et voilà, c'est ainsi que se présente une offre que je ne peux absolument pas refuser. Les feux Loto-Québec vus du ciel ! Évidemment, une mère est en droit d'éprouver un minimum de fierté lorsque son fils de dix-huit ans lui offre un vol de nuit en Cessna. Depuis maintenant deux ans, je suis à même de constater tous les efforts qu'il met à réaliser son rêve. Le cours d'ingénieur n'est déjà pas chose facile. Et utiliser ses temps libres pour compléter un brevet de pilote commercial, cela relève du défi ! De quoi en inspirer plus d'un. Et, ici, il faut bien comprendre qu'il est question de moi ! J'ai cet exemple devant les yeux tous les matins. Il se réveille avec, devant lui, des horaires particulièrement bien remplis. Alors, si parfois je ressens un léger sentiment de culpabilité lors d'une journée plutôt ordinaire, je connais en partie l'explication. Je l'avoue, c'est très valorisant comme parent de constater que nos enfants n'hésitent pas à se relever les manches pour réaliser leurs objectifs. En fait, en y réfléchissant bien, il y a peut-être un peu de l'influence de leur mère. S'il vous plaît, ne faites pas éclater ma petite bulle ! J'aime bien croire que j'y suis pour quelque chose. Et, au surplus, ça ne fait de mal à personne.

C'est vraiment incroyable ! Il y a à peine une décennie, je calculais mes fins de mois de façon à atteindre mon objectif. Déposer l'imposante somme de quatre mille dollars à mon régime enregistré d'épargne-retraite. C'était le but, chaque année. Et j'y arrivais ! Au prix de prouesses phénoménales au budget. Je crois que c'est à cette époque surtout que ma créativité s'est développée. Le réalisme aussi fait partie de cet héritage. Pas question de pelleter des nuages, même avec un compte bancaire bien garni. Mais si c'est mon fils qui me l'offre, alors j'y vais, c'est certain !

Ma fille saute sur l'occasion. Comme moi, ce sera pour elle un premier vol de nuit. La magie promet d'être de la partie. En fait, c'est tellement plus que cela. Je m'apprête à vivre un moment privilégié avec mes enfants. Juste nous trois. Pas d'amis de cœur. Aujourd'hui, je me sens égoïste, mais je m'assume pleinement. J'ai le bonheur d'être célibataire, et c'est merveilleux !

Pendant que mon fils effectue la liste de vérification à l'extérieur de l'avion, un autre pilote prépare son appareil tout près. Lorsqu'il discute avec nous, je peux sentir la fébrilité dans sa voix. Ce n'est pas la première fois qu'il verra les feux du ciel, mais il nous jure qu'on ne peut s'habituer à pareil spectacle. Il n'a pas besoin de me convaincre, je le crois sur parole. Mais j'ai bien hâte de le constater de mes propres yeux. Je regarde autour. Il règne un calme désarmant. L'aéroport est tellement différent. Cela n'a rien à voir avec l'agitation qu'on y sent le jour. C'est fou ce que j'aime cet endroit, l'énergie que j'y ressens est semblable à ce que je retrouve sur un parcours de golf. Assurément, ces deux endroits ont profondément marqué mon existence.

Nous montons à bord du Cessna 172. L'appareil blanc, lettré aux couleurs de l'école d'aviation, possède quatre places et une soute à bagages. L'espace est restreint, mais un sac de golf peut y loger sans aucun problème ! Ma fille s'installe derrière, tandis que je prends place à l'avant avec mon fils. Il nous tend les casques d'écoute et nous rappelle la façon de les utiliser. Sans eux, il serait impossible de communiquer entre nous. En vol, l'habitacle devient très bruyant, et cet équipement nous permet aussi d'entendre les discussions du pilote avec la tour de contrôle. Évidemment, comme l'aspect technique du vol me passionne, je ne manque pas un mot des communications radio. Pendant que mon fils effectue la liste de vérification des instruments, je prépare l'appareil photo. Il doit être prêt à utiliser. Je ne veux rien manquer, car l'expérience s'annonce inoubliable. D'ailleurs, les premiers clichés du frère et de la sœur près de l'avion sont excellents ! Pendant que le moteur tourne, nous avons droit au « briefing » des passagers. Une étape nécessaire et importante, où le pilote explique les détails du vol, les règles à suivre et, bien sûr, les instructions « dans le cas très improbable d'une urgence ». Ce sont les termes employés ! Puis, notre patience est récompensée, l'appareil commence à bouger.

Cette petite randonnée sur roues prend fin après quelques secondes. C'est un arrêt obligatoire où les communications radio débutent. Nous avons déjà le renseignement Delta, c'est-à-dire la vitesse et la direction du vent, la température, le point de rosée, les pistes en service. Mon fils établit le premier contact avec Québec sol, qui contrôle tous les aéronefs circulant sur l'aéroport, du stationnement jusqu'à l'écart de la piste en service.

Et puis, ça y est, nous sommes autorisés à décoller ! Ma fille et moi retenons difficilement notre excitation. La piste s'aligne devant nous, illuminée dans la nuit, nous indiquant la voie vers une expérience magique. Le son du moteur emplit la cabine. La puissance est au maximum et l'appareil prend de la vitesse. J'adore le décollage ! Puis la vibration diminue de façon drastique, les roues viennent tout juste de quitter le sol. Ouf ! qu'elle est belle, Québec, de nuit ! L'avion prend graduellement de l'altitude, pour ensuite atteindre les quatre cent cinquante mètres autorisés par la tour de contrôle. À plusieurs reprises, j'ai eu l'occasion de voyager de nuit, mais cela n'a absolument rien à voir avec ce spectacle. Le petit Cessna nous donne presque l'impression d'être à l'extérieur, de sentir le pouls de la ville au rythme de cette magnifique soirée d'été. Les boulevards illuminés serpentent un peu partout et les phares des voitures parcourent ces labyrinthes. Nous sommes tellement près de l'action! Mon émerveillement s'accompagne des communications radio en bruit de fond. Puis, mon fils nous indique où sont les trois autres appareils qui exécutent le circuit en boucle. Nous nous joignons à eux et conservons une vitesse constante.

Tout à coup, ça y est! Les premiers feux explosent devant nous. Le spectacle commence, et nous sommes aux premières loges pour l'admirer. Sous tous les angles. On dirait presque qu'ils vont voler jusqu'à nous. Les couleurs flamboyantes se succèdent les unes après les autres. Les détonations résonnent dans le ciel, rendant l'expérience encore plus incroyable. Tout près de la scène principale, mais beaucoup plus bas ceux-là, d'autres feux en forme de jets d'eau jaillissent comme des fontaines immenses. Magistral! Les eaux de la chute Montmorency surgissent soudainement de la noirceur, éclairées par la lumière de ces feux. Une vraie rivière de diamants! Les cris d'émerveillement dans la cabine se mélangent au crépitement des explosions, mais les miens détonent davantage. Je crois que je ne célèbre pas que les feux. Peut-être aussi une étrange sensation de liberté. Tout se mélange dans mon esprit. Pendant que mes yeux sont éblouis par cette splendeur, je ressens un désir fou de ne rien perdre de cette libération. Ce que cela signifie, je n'en sais absolument rien. Et je n'ai pas envie d'y réfléchir maintenant. Je veux savourer le moment présent, sans plus. Mais, plus tard, le questionnement sera inévitable.

De retour vers l'aéroport, nos commentaires s'enchaînent les uns après les autres. C'est unanime, la soirée était magique. Puis, ma fille y va d'un commentaire beaucoup plus terre-à-terre. «Vous ne trouvez pas qu'il y a une senteur bizarre, on dirait que quelque chose brûle ? » Un silence de mort se fait dans l'avion, le temps que nous constations, nous aussi, une réelle odeur de fumée. Quelques secondes ont suffi, heureusement, pour que mon fils réponde : « Normal, le vent pousse le nuage des feux vers nous ! » Bien sûr, j'allais justement le dire ! Pendant que nous rions de la situation, la piste d'atterrissage se déploie droit devant. Tel un jeu vidéo, illuminée sur les deux côtés, elle se prépare à nous recevoir. Et, doucement, les roues touchent le sol. L'avion perd graduellement sa vitesse, et le grondement du moteur s'estompe pour ne devenir qu'un ronronnement doux. Le calme a repris ses droits. Bienvenue sur terre.

Heureusement, j'ai tout immortalisé sur vidéo haute définition ! Ce sera un bijou que je conserverai précieusement. À l'âge où ils commencent à définir leurs différents plans personnels, cette soirée est un cadeau inestimable. Elle s'inscrira définitivement dans ma mémoire. Et je suis persuadée que la même chose se produira pour eux. Sauf qu'ils s'en rendront compte beaucoup plus tard. Ils ne savent pas encore que ces moments avec nos proches nous marquent pour toujours.

Encore une fois, c'est incontestable. Nul besoin d'être millionnaire pour vivre des moments magiques. Il suffit d'être en bonne compagnie. Et même si j'y réfléchissais longuement, je ne trouverais meilleurs complices que mes enfants. Certains diront que ce sont les paroles d'une célibataire. Mais peu importe ce qui m'attend, ce sont mes paroles.

Chapitre 5

Vie de célibataire,
la religion des riches?

$\mathcal{T}$OUT SE PASSE MERVEILLEUSEMENT BIEN JUSQU'À MAINTENANT. MA vie est remplie d'expériences des plus enrichissantes. Le bonheur me sourit. Ou peut-être est-ce simplement le fait que je suis ouverte et positive? Je n'attends surtout pas les grandes occasions pour être heureuse. Tout se passe dans les petites choses. Mais je me répète! Je ne place aucune barrière entre les opportunités de petits plaisirs et moi. Je saute à pieds joints sur les propositions que l'on me présente. Aucune exception, j'accepte tout. Ou presque. En fait, le domaine sentimental est une section à part. En y réfléchissant bien, je m'aperçois que, au contraire, je suis plutôt fermée à toute suggestion. Depuis la rupture, il y a quelques mois maintenant, j'ai pris soin d'installer autour de moi une zone de sécurité. Involontairement, bien sûr, mais il me semble que j'en suis plus consciente. D'ailleurs, je ne sais aucunement d'où me vient cette idée. Oui, évidemment, certaines personnes plus perspicaces ne se sont pas laissé duper par mes agissements. Ce qui fait en sorte que j'ai droit régulièrement à des remarques me signifiant que la terre continue de tourner, côté sentimental inclus!

Occasionnellement, un spécimen de la gent masculine attire mon attention. Mais je m'assure de n'en souffler mot à personne. La pression dans ce domaine est bien mauvaise conseillère. Je préfère prendre quelques précautions. Et, comme un gros mal de tête, cela finit par passer. Honnêtement, ai-je vraiment besoin de nouveaux problèmes? Tout est beaucoup plus simple de cette façon. D'ailleurs, cette formule me convient tellement bien que je n'ai aucune intention de la laisser tomber. D'autant plus que j'ai toutes les réponses aux arguments que l'on me sert sur le bonheur d'être en couple. C'est tellement simple, je n'ai qu'à regarder autour de moi. Les relations de couple parlent d'elles-mêmes. Je jure que je ne lis pas la joie tous les jours sur ces visages!

Quoi qu'il en soit, mes journées sont beaucoup trop remplies pour penser ajouter une conquête amoureuse dans ce décor idyllique. D'autant plus qu'elle ne vient jamais seule. Habituellement, elle s'accompagne d'un passé parfois pas très glorieux. Sans oublier qu'un caractère coiffe le tout, avec son lot de mauvais plis. En réalité, il y a certainement une raison qui fait en sorte que cet être prétendument unique soit libre. Mais pour moi, c'est différent, bien sûr! Alors, pour le bien de tout le monde, je préfère m'abstenir et passer mon tour. Un jour à la fois. Demain est encore loin!

J'apprécie davantage mes journées de golf. J'ai presque l'impression de savourer un fruit défendu. C'est complètement fou. Ils me semblent tellement loin, ces jours où mon horaire était dicté par l'humeur du conjoint. Monsieur tolérait bien mal que je sois sur le parcours alors qu'il dînait à la maison, c'est-à-dire tous les jours. Alors, pour éviter sa vengeance par le silence pendant trois jours, mieux valait acheter la paix. Quel sentiment de liberté maintenant! Jouer dix-huit trous de golf sans aucune culpabilité. Et, qui plus est, je peux même me permettre de passer de bons moments sur la terrasse avec mes nouvelles copines. Que puis-je demander de plus, gagner à la loterie?

Plusieurs semaines se sont écoulées depuis que Francine et moi avons joué cette fameuse partie de golf au club où nous sommes membres. Nous avons joyeusement étalé nos vies respectives et, rapidement, les liens se sont consolidés. D'ailleurs,

cette étape s'est inscrite en lettres majuscules dans mon cheminement de nouvelle célibataire. Plus encore, elle a été l'étincelle
qui a initié ce drôle de raisonnement, celui qui m'a entraînée
vers l'escapade en Floride.

Lorsque Louis nous a présentées, juste avant le tournoi des
membres, il ne croyait certainement pas que cela dégénérerait
en ces longues causeries féminines. Francine est très expressive,
et ses idées sont bien campées. Je constate qu'elle a eu beaucoup de temps pour une réflexion bien mûrie. Les parties de golf
que nous avons jouées ensemble se sont multipliées. Et les confidences aussi. J'ai déjà avoué à Louis que c'était une initiative
tout à fait géniale de sa part. D'ailleurs, je ne le remercierai
jamais assez de m'avoir permis de faire la connaissance d'une
personnalité aussi enrichissante. Cette rencontre a été le début
d'une vraie réaction en chaîne. Sylvie en fait partie, d'ailleurs. Le
souper des membres était le début de cette nouvelle ère dans
mon voyage introspectif. Maintenant, je me laisse aller sur la
vague. Il me suffit d'écouter d'une oreille attentive les propos qui
s'échangent autour de moi. Bien sûr, je ne m'y retrouve pas du
tout. Rien ne me ressemble dans ce que ces dames relatent haut
et fort, mais j'ai envie de savoir ce qu'elles pensent. Et surtout,
pourquoi. La petite histoire personnelle de chacune m'intéresse
au plus haut point. Occasionnellement, j'ajoute mon petit grain
de sel, mais il est bien inoffensif dans cette marmite. Ce serait
peut-être différent si j'ouvrais mon jeu et que je faisais le coup
de la millionnaire qui se dévoile. Non, je ne crois pas que ce
serait une bonne idée. De toute façon, la question ne se pose
pas pour l'instant. C'est beaucoup trop tôt.

Je dénote plus de nuances dans les propos de Sylvie, mais à
peine. Personnellement, je crois que cette impression provient
de sa façon de s'exprimer. Ses convictions sont effectivement fermes, cependant elle les étale avec beaucoup plus de douceur.
C'est probablement juste une question de tempérament. Mais
ma longue expérience personnelle me dit que la profondeur des
blessures y est aussi pour beaucoup. Enfin, c'est ce que je crois.

Francine a certainement marqué un tournant important dans ma vie de célibataire. Elle est le catalyseur, la petite mèche qui a mis le feu aux poudres de ma réflexion. La personne suffisamment autoritaire pour m'obliger à me regarder en face et à me poser les vraies questions. Celles que j'évitais depuis le tout début parce que je déteste ne pas avoir réponse à tout. Alors que ma tactique pour aborder les sujets délicats est de tourner longuement autour du pot, la sienne est plutôt de foncer droit au but. Pas de tabou. Les choses sont claires, alors parlons-en en termes directs. Ouf! c'est un léger changement de cap pour moi, mais j'adore ça et je veux bien me prêter au jeu.

**

Je ne peux m'empêcher de repenser à mes occasionnelles journées de formation continue. Le but était évidemment de rassembler les nutritionnistes pour les mettre au courant des différentes trouvailles scientifiques. L'objectif étant d'être constamment à la fine pointe des connaissances dans le domaine. Peut-être pas de connaître les détails croustillants du dernier divorce en lice chez mes consœurs. Il va sans dire que les heures de lunch étaient justement l'occasion d'échanger entre nous. Des dizaines de tablées de femmes dans la salle à manger de l'hôtel, tout un spectacle. Et très peu d'embonpoint dans ce décor, ai-je besoin de le spécifier. Quatre-vingt-dix minutes de discussions anodines sur le temps qu'il fait et la qualité de la présentation des intervenants du matin. Parfois, les esprits s'échauffaient et le ton prenait une tournure beaucoup plus personnelle. Ainsi, nous avions droit au récit détaillé du dernier voyage de l'une d'elles en Europe et la liste interminable des musées qui l'avaient touchée. Ou une autre racontait l'ascension fulgurante de l'un de ses rejetons dans une université quelconque à l'étranger. En omettant, bien sûr, de mentionner le petit frère décrocheur.

Bref, des conversations laconiques où chacune renchérissait sur les propos de l'autre, de façon à démontrer hors de tout doute que sa vie était un conte de fées. Oh non, pas question que je me laisse aller à révéler quoi que ce soit sur la loterie au milieu de ces femmes. Ciel ! acheter des billets de loto ! Je préférais observer et constater de visu ce que je devais absolument éviter de devenir. En somme, j'étais témoin d'échanges totalement insipides. Et ces gentilles dames, bien vêtues et maquillées discrètement, me donnaient l'impression de trôner dans une tour d'ivoire, complètement coupées de la réalité. Et encore davantage de la mienne. En fait, elles étaient à des années-lumière de mes préoccupations actuelles. Cette description de mes consœurs semble bien sévère. J'en suis moi-même plutôt étonnée, mais peut-être est-ce le reflet du miroir. Et je crois que ce que j'y vois me rappelle quelqu'un, dans un passé pas si lointain. Oh non ! C'est moi, avant les millions. Celle qui vivait ses drames de l'intérieur. La meilleure stratégie que j'ai développée pour continuer d'avancer. En focalisant sur la lumière, là, droit devant. Alors, peut-être qu'en fait, ma voisine de table était-elle en plein cauchemar personnel ? Je n'en sais rien. C'est décidé, à partir de maintenant je promets de m'abstenir de juger les gens qui semblent flotter sur un nuage. Comme eux, je dirai qu'il est beau, le ciel. Ce sera ma façon de leur prêter mes lunettes roses. Elles ont fait leurs preuves.

**

La partie d'aujourd'hui est certainement à la hauteur de mes attentes. Le soleil radieux, le vent à peine présent et le mercure à vingt-sept degrés Celsius ont grandement contribué à ma bonne humeur. J'ai eu droit aux petites allusions taquines de Louis à mon arrivée au club, c'est chose courante maintenant. Une belle complicité s'installe entre nous deux et j'aime beaucoup notre relation amicale. Aujourd'hui, mon groupe est composé de Francine, Sylvie et Gilles. Nous nous connaissons particulièrement bien et sommes heureux de nous retrouver dans le même quatuor. La chimie s'installe entre nous, celle qui fait en sorte qu'aujourd'hui une impulsion nous propulse vers le plaisir. Nous sommes sur la même longueur d'onde. Tout au long du parcours, les plans se mettent en place pour le dix-neuvième trou. La suite devient évidente. Sur la terrasse, derrière un délicieux rafraîchissement de notre choix, notre ami Gilles promet de rester quelques minutes. Par contre, des obligations l'attendent et il devra nous quitter assez rapidement. Tout s'annonce pour que cet après-midi soit sous le signe de la détente et des discussions joyeuses.

Tout près de la terrasse, Francine rencontre par hasard une amie de longue date qu'elle n'a pas vue depuis belle lurette. Membre d'un autre club, elle est ce qu'on peut appeler une femme déterminée. Sur le parcours et dans la vie. Ce ne sont pas tout à fait les mots que Francine emploie lorsqu'elle me la décrit discrètement en s'en rapprochant, mais c'est exactement ce qu'elle veut dire. En fait, les mots exacts ressemblent à ceci : « Si tu trouves que je ne suis pas reposante, attache ta tuque, tu n'en reviendras pas ! » Après quelques rapides formules de présentation, Marianne, la nouvelle venue, démontre un certain intérêt pour notre groupe. C'est ce que j'en déduis lorsqu'elle s'invite à se joindre à nous avant même que la moindre proposition ne soit soumise. Fine observatrice, je suis totalement emballée par ce qui se déroule sous mes yeux. Et le rosé n'a même pas encore fait son apparition ! D'accord ! Comptez-moi parmi vous ! Je suis disponible pour toute activité sociale mettant en scène des personnages qui ont des choses intéressantes à révéler. En particulier celles qui ont une bonne longueur d'avance sur moi dans le domaine des femmes mûres célibataires.

Nous voilà attablés tous les cinq, un verre à la main. Comme je m'y attendais, la machine s'emballe rapidement et la bonne humeur coule à flots. Le volume augmente graduellement et les éclats de rire ponctuent les conversations. De toute évidence, le courant passe très bien, il n'y a aucun doute. Je crois que notre ami Gilles sent la soupe chaude. D'ailleurs, on peut le comprendre, seul homme au milieu d'une tribu de quatre femmes divorcées. En effet, il existe des situations plus confortables. En parfait gentleman, il nous signifie qu'il s'amuse comme un petit fou, mais il est maintenant grand temps de nous quitter, à regret, bien entendu. Et je le crois. Gilles est un homme très sociable qui s'entend particulièrement bien avec les femmes. Habituellement, il aime bien ajouter son opinion lorsque Francine et moi abordons certains sujets, mais ce sera pour une autre fois. Aujourd'hui, l'une des participantes semble l'intimider, mais ce n'est que mon opinion d'observatrice. Quoi qu'il en soit, il est hors de question que je l'imite. J'y suis pour rester, il faudra me renvoyer à coups de pied.

Le soleil est radieux, et les oiseaux gazouillent. Les coups de départ des trous un et dix résonnent en toile de fond. La trame musicale et les conversations animées se mélangent pour faire de ce jeudi après-midi un moment particulièrement agréable. En ce milieu d'été, la nature est à son apogée. D'ailleurs, les jardinières de fleurs qui entourent la terrasse débordent de vie. Et cela se traduit par des verts et des rouges tellement profonds qu'ils donnent presque envie de croire que l'automne n'en viendra pas à bout. Bref, que tout est possible, même le plus improbable ! Mon esprit est dans cet état, gonflé à bloc de joie de vivre et d'optimisme, convaincu que cet erre d'aller ne rencontrera aucun obstacle. Et pourquoi n'en serait-il pas ainsi de ma vie en général ? Plus aucune barrière ne se dresse maintenant entre le bonheur et moi. N'est-ce pas exactement le but d'une rupture ? Faire le point sur l'état d'une relation, identifier l'élément problématique et l'éliminer. C'est ainsi que je résume la situation, en une seule phrase. Évidemment, c'est beaucoup plus complexe, mais je n'en ferai quand même pas un livre !

Personnellement, j'ai l'impression d'avoir beaucoup évolué depuis quelques semaines. Et je soupçonne que cela n'est pas étranger à mes fréquents contacts avec Francine. Son jeu au golf est très intéressant, mais sa façon de penser l'est davantage. En fait, ses convictions me font voir la vie de femme sous un jour complètement nouveau. Cette approche m'est tout à fait étrangère, mais je crois qu'elle vaut la peine d'être explorée, ne serait-ce que pour vérifier sa viabilité dans mon petit univers personnel. D'ailleurs, lorsque j'observe ces trois femmes, je suis étonnée de constater toute la confiance qu'elles dégagent. Comment ne pas envier cette capacité à prononcer des paroles qui ne laissent place à aucune interprétation? Des propos aussi fermes ne peuvent provenir que de gens réfléchis et expérimentés. Le genre de personnes qui ont énormément de vécu. Ce qui leur a permis d'acquérir une maturité supérieure à la moyenne. D'ailleurs, c'est peut-être ce qui leur procure cette étonnante assurance, celle qui fait en sorte que l'on peut se permettre de dicter aux autres la bonne façon de faire les choses. Ce qui est totalement inconcevable de ma part, puisque je n'ai pas de certitudes sur la vie. Mais voilà, j'ai devant moi le chaînon manquant. Elles ont trouvé les réponses, et j'ai la chance de pouvoir m'initier à ce savoir. Les connaissances fondamentales sur les relations humaines seront dévoilées devant moi cet après-midi.

Au début, Francine est manifestement la chef du groupe. Elle en a l'habitude, cela saute aux yeux. Elle dirige la discussion de main de maître. Ses centres d'intérêt sont les nôtres. Sa voix est forte et claire. Ses éclats de rire fracassent l'atmosphère ambiante, ce qui nous vaut quelques regards à l'occasion. Son corps est en parfaite harmonie avec le ton qu'elle emploie. Elle dégage la confiance en soi, sans aucune hésitation. Son bras gauche est négligemment étendu sur le dossier de la chaise voisine. Je n'y connais absolument rien au langage non verbal, c'est peut-être une manifestation de domination. D'autant plus que Marianne occupe ce fauteuil. Suis-je témoin d'une lutte de pouvoir entre deux tigresses?

C'est difficile à évaluer pour le moment, mais chacune semble jouer son rôle. Francine expose haut et fort ses convictions personnelles à travers ses propos. Ici, je dois lire entre les lignes. Cependant, même pour une novice comme moi, les caractères gras sautent aux yeux. Je n'arrive pas à y croire, je suis dans l'arène. Je vais jouer à l'observatrice. Pour le moment, c'est la seule façon d'éviter les ricochets. Je ne suis vraiment pas de calibre. Ma tactique est de jauger ses forces et faiblesses. Dans ce domaine, c'est une question de vie ou de mort. Sylvie, quant à elle, s'en tire plutôt bien. Ses interventions sont plus nuancées, mais uniquement au niveau du ton. Elle joue de stratégie et évite les affrontements directs. De toute manière, elle ne vise pas la domination. Un certain équilibre semble s'établir, et j'ai certainement un rôle à jouer. Je suis celle que l'on doit convaincre et conquérir. Elles discutent entre elles, mais les propos s'adressent à moi. Leur mission est de m'enrôler dans une philosophie qui m'est encore inconnue. De me faire découvrir la vérité, la leur.

— Après plus de dix ans à vivre seule, j'ai fini par comprendre bien des choses. Je ne serais pas la femme que je suis aujourd'hui si j'étais encore mariée, dit Francine.

— Tu as quand même rencontré quelques hommes. Peut-être que ce n'était pas le bon. Tu es une femme qui paraît bien, et il y a encore plein de candidats dans la nature ! ajouté-je en blaguant.

— Ah, bien sûr ! Je me souviens du riche homme d'affaires que j'ai rencontré il y a quelques années. C'était la vie de princesse ! Des fréquentations de rêve, tout simplement. Il m'invitait en croisière, pour des vacances dans les îles, des weekends d'amoureux dans des petits paradis, vraiment le bonheur total ! répond Francine, d'un air songeur.

— Tu vois, pas si mauvais que ça, les hommes ! dis-je, avec l'assurance que l'histoire ne se terminait pas là.

— Oui, tout cela a l'air parfait. Mais c'est juste de la poudre aux yeux. Pendant nos vacances, on prend tous un petit verre. Plus qu'à l'habitude, disons. Mais après plusieurs mois, nous avons fini par passer plus de temps ensemble. Et là, j'ai vu que pour monsieur, les vacances, c'est à l'année. Pas de répit non plus pour le verre de scotch. Voilà, il était alcoolique, un vrai, ajoute-t-elle.

— Tu crois qu'on peut juger tout le monde sur cette base ? lui demandé-je, convaincue que les arguments suivraient sous peu.

– Fais-moi confiance, il y a toujours quelque chose, dit-elle, en prenant une longue gorgée de son rosé, de façon à bien faire comprendre qu'elle a raison.

Vient ensuite la solide argumentation de Sylvie. Armée de sa main de fer dans un gant de velours, elle connaît très bien chaque pas de cette danse, elle aussi.

– Moi, je crois encore que c'est possible de rencontrer un homme digne de ce nom de nos jours. Ils sont juste très difficiles à trouver, dit-elle de sa voix mielleuse.

– Justement, celui qui joue au golf avec nous, tu sembles très bien t'entendre avec lui. Il est extrêmement gentil et attentionné. Je vous verrais ensemble, vous feriez un beau couple, ajouté-je, avec ma plus grande sincérité.

– Es-tu folle! Ce gars-là ne m'attire pas du tout physiquement. Il fait très bien l'affaire comme compagnon de golf, mais il n'a certainement pas l'envergure d'un candidat potentiel! Par contre, je reste positive et je crois encore au miracle. Peut-être que je finirai par tomber sur la perle rare! dit-elle, inconsciente du ridicule de ses paroles à mes oreilles.

La table étant mise, Marianne saute sur l'occasion. La dynamique est parfaite. Il suffit d'énoncer très fermement quelques théories féminines de son cru. Mission devrait être accomplie.

– Réfléchis quelques secondes, Joanne. Pourquoi crois-tu qu'un homme est libre après quarante ans? Ce n'est tout simplement pas normal! Tu sais bien qu'en général, les pauvres femmes faibles s'accrochent immédiatement à un pantalon qui est libre! Alors, dis-toi bien que les meilleurs candidats ne sont pas sur le marché très longtemps! Conclusion, ce qui est disponible ne vaut vraiment pas le coup. Pas pour des femmes comme nous. Nous avons de l'argent. Pas besoin de parasites, sermonne-t-elle, en appuyant longuement sur les mots-clés, comme si le tout avait été répété maintes et maintes fois.

Je suis mise au tapis par ce coup marteau. Ce ne sont pas les arguments qui m'assomment mais la force de leurs convictions. Je n'ai absolument rien à leur répondre. De toute façon, ce que je dirais pourrait-il avoir la moindre incidence sur leurs croyances ? Je connais plusieurs religions, comme tout le monde. Mais celle-ci m'était totalement inconnue. Avoir la foi suffit. Les lois de la religion des riches célibataires sont immuables. Et seules les initiées auront le privilège de connaître la béatitude !

Dans la réalité de mes nouvelles amies, la femme est un être totalement autosuffisant, financièrement et émotivement. Et tout ce qui vient s'y coller est un obstacle qui ne peut que l'empêcher d'évoluer vers ses objectifs personnels, car il n'y a d'intérêt que pour son propre petit nombril. Oui, il y a les autres, bien sûr, mais ils ne font que graviter autour d'elles. Ils sont « le décor », en quelque sorte.

Être millionnaire me projette dans un monde où l'artificiel est immensément attrayant. Être célibataire me confronte à des choix de vie basés sur mes valeurs fondamentales. Reste maintenant à concilier ces deux philosophies et à créer ma propre religion. Le respect de soi et des autres.

Deuxième partie

*Les occasions
de rencontres
se multiplient!*

Chapitre 6

Un pas en avant,
deux pas en arrière!

*E*ST-CE ÉTONNANT QUE DES DISCUSSIONS SEMBLABLES AIENT PRO-
pulsé ma réflexion à un niveau supérieur? Rien ne vaut le fait de
rencontrer un éléphant sur son chemin pour nous obliger à
regarder les différentes options qui s'offrent à nous! La route
que mes copines ont choisie n'est pas mauvaise en soi. Elle n'est
tout simplement pas adaptée à ma situation. Enfin, pas encore.
J'hésite à juger leur façon de voir les choses. Qui sait dans quelle
direction le destin me poussera? Et si, moi aussi, je vivais des
expériences amoureuses très décevantes, peut-être mes croyances rejoindraient-elles finalement les leurs? Non, ça ne tient pas
la route. Qui a lu mon histoire sait bien que j'ai connu mon lot de
déceptions. Pourtant, je ne suis pas prête à lancer la serviette. Et
encore moins à remettre en question l'existence même de la
gent masculine!

Sans rejeter toute leur argumentation d'un bloc, je dois
reconnaître que certains points suscitent davantage mon attention. En laissant de côté la partie extrémiste de leur propre théorie, j'admets que la notion de condition financière m'interpelle.
Que je le veuille ou non, je ne peux absolument pas faire abs-
traction de l'aspect financier dans les relations entre hommes et
femmes. D'autant plus que ma situation est délicate. Par contre,
je n'avais aucunement l'intention de l'utiliser comme un instru-

ment de pouvoir! Voilà qui m'élimine définitivement de la liste des candidates à leur culte. Par contre, il est inutile de jouer les provocatrices. Loin de moi l'idée de confronter mes amies golfeuses dans leur idéologie. Et je suis convaincue que je peux aller chercher d'excellents éléments de réflexion en côtoyant ces femmes d'expérience. En fait, une dizaine d'années de vécu supplémentaire, c'est énorme. En tant que novice, je respecte les convictions de ces dames et j'en prends bonne note. Cependant, je dois forger ma propre philosophie. Et surtout, je peux apprendre des erreurs des autres.

Régulièrement durant l'été, l'occasion se présente où des rencontres féminines se produisent. Inévitablement, les femmes que je côtoie ont ceci de particulier: du temps et de l'argent en abondance. Les autres sont occupées à travailler ou à répondre à un conjoint trop accaparant. J'en suis parfaitement consciente parce que j'ai connu les deux, mais à des périodes différentes dans ma vie. Avant les millions: le travail quotidien. Et après: une vie de couple plutôt exigeante. Ces femmes que je rencontre ont toutes des histoires à partager. Si on prend le temps de les écouter, on s'aperçoit qu'elles regorgent d'éléments intéressants. Certaines n'attendent même pas les questions pour élaborer, juste une oreille fait l'affaire. J'aime bien être cette oreille. De cette façon, je suis à même de constater tous les ravages que causent les relations néfastes. Mais surtout, le bonheur d'un amour sain et véritable.

Si les femmes aiment se confier, je constate que les hommes ne sont pas en reste. À condition, bien sûr, d'avoir établi clairement que l'intérêt amoureux n'est pas de la partie. Ainsi, ces messieurs rangent l'arsenal de chasse et ne vous voient plus comme une proie à séduire! J'exagère à peine. Les femmes développent des techniques parfaitement éprouvées et infaillibles pour désamorcer ces petites bombes ambulantes. Alors, en réponse à «Est-ce que votre copain joue au golf?» destiné uniquement à sonder le terrain, elles répondent «Mon conjoint travaille aujourd'hui et il n'a pas pu venir jouer», ou «Mon copain aime bien ce terrain de golf ». De cette façon, le contexte est clair et limpide dès le départ. Mon expérience dans le domaine relativement courte me montre qu'ainsi les situations qui dégénèrent sont habituellement évitées. Car cela arrive, bien sûr ! Par contre, si monsieur suscite l'intérêt de madame, là c'est différent. Mais pour l'instant, je n'ai aucun conseil valable à donner. En fait, l'Adonis de mes rêves ne s'est pas encore présenté. Ou bien je ne l'ai pas remarqué. Lorsque cela se produira, je promets d'en toucher quelques mots !

Il ne faut donc jamais négliger l'importance de montrer son jeu dès le départ. En particulier si l'on ne ressent aucun intérêt pour monsieur. Il faut me croire, j'ai compris cette importante règle. Mais de là à la mettre en application, il y a tout un monde. Inévitablement, j'expérimente quelques situations délicates. Cependant, je suis convaincue qu'elles font partie de mon processus de réhabilitation. Je ressens le besoin de prendre un peu de recul pour avoir une vision globale de la situation. Pour l'instant, éviter de m'impliquer dans quelque relation que ce soit me permet de mûrir davantage mes objectifs. En fait, c'est simple, j'ai la trouille ! Il faut simplement l'admettre, je me sens déjà mieux !

Forte de ce pas de géant dans mon cheminement personnel et ma quête intérieure, je prends une décision. Désormais, je me tiendrai loin de ces situations où je risque d'être approchée. Ainsi, j'éviterai absolument tous les pièges. Qu'y a-t-il de plus déplaisant que de se demander constamment si tel ou tel individu a des intentions de rapprochement ? Et surtout, de quelle façon pourrais-je bien m'y prendre pour les esquiver ? Cela semble futile à première vue, mais au point où j'en suis en ce moment, toutes ces questions sont fondamentales et déterminantes. Plutôt que d'être confrontée au risque d'être blessée par une liaison, je préfère contourner les candidats potentiels et continuer ma quête de réponses. C'est mon plan. On dit souvent que rien n'est plus efficace que des objectifs simples mais précis. Alors voilà, tout baigne dans l'huile.

Et, heureux hasard, la saison de golf est terminée. Disparaissent donc avec elle les opportunités risquées de rencontres sur les verts. Décidément, tout joue en ma faveur! Je n'en demandais pas tant. Alors, autant en profiter pour pratiquer des activités en solo ou entre filles. Mais il reste un fait indéniable, je ne peux me passer de mon sport préféré pendant les longs mois d'hiver. Impossible, c'est trop me demander. Par bonheur, un autre fervent adepte du golf y a pensé, et il a inventé un engin pour sauver notre âme. Lui aussi devait avoir la chance inouïe de vivre dans les contrées de l'extrême nord, là où l'hiver dure six mois! Je le répète, le Québec serait tellement plus agréable avec un été allongé de quelques semaines. Quoi qu'il en soit, un homme brillant a un jour mis au point le simulateur de golf. Ainsi, l'hiver peut bien durer dix mois, je sais m'adapter. Le golf à l'intérieur... et la Floride! Voilà de quoi me remettre d'aplomb. L'hiver s'annonce clément, je crois que j'arriverai à traverser cette difficile épreuve.

Armée de mes bâtons de golf, je traverse le stationnement du centre commercial. D'accord, la tâche est plutôt ardue, j'en conviens. Mais c'est normal qu'il y ait autant de neige le lendemain d'une tempête. C'est Québec, ne l'oublions pas! Normalement, j'aurais un petit doute quant à mon état mental. Suis-je vraiment saine d'esprit? Qu'est-ce que je fais ici? Le ski serait plus approprié. À l'instant où ces pensées surgissent, je vois d'autres personnes atteintes de la même maladie que moi dans le stationnement. Je crois que nous consultons le même médecin, et il nous attend à l'intérieur. Il exerce sous plusieurs noms, mais les plus connus sont Pebble Beach, Bay Hill et Kapalua. Ce sont quelques-uns des différents terrains de golf disponibles sur le simulateur. Et nous choisissons selon la spécialité désirée. Bien entendu, la carte de crédit se substitue à la carte d'assurance-maladie. Mais un bon golfeur sait mettre de l'ordre dans ses priorités de dépenses. Pas besoin d'être millionnaire! Sauf que... je peux me le permettre plusieurs fois par semaine.

Dès que je mets les pieds à l'intérieur, l'hiver disparaît complètement de mon univers, comme par magie. L'ambiance décontractée qui se dégage de cet endroit me transporte ailleurs. La musique remplace le sifflement du vent nord-est, et le son des balles qui frappent le mur du fond termine le travail. À l'instant où je fais mon entrée dans ce petit monde imaginaire, le propriétaire s'empresse de me saluer. Il m'étonne chaque fois. Sa bonne humeur est toujours au rendez-vous et avec tout le monde. Jamais je ne l'ai vu démontrer le moindre indice d'ennui ou d'impatience. Il est l'exemple parfait d'un homme à sa place dans le service au public. C'est sans doute la raison pour laquelle j'ai rapidement établi un lien d'amitié avec lui. Sa facilité à communiquer a fait en sorte que, dès les premières années où j'ai fréquenté son commerce, j'ai apprécié sa compagnie.

Comme j'étais en couple à cette époque, il n'était pour moi que le gentil propriétaire. Celui qui était déterminé à rendre mémorable l'expérience du simulateur à tous ses clients. C'est le but d'un homme d'affaires, s'assurer que la clientèle revienne. Par conséquent, toutes les petites attentions qu'il me procurait s'inscrivaient dans cette optique. Du moins, c'était ce que je percevais alors.

— Allô, Joanne ! Il y a longtemps qu'on ne t'a pas vue ! Comment ça va ? me lance-t-il, en se dirigeant vers moi les bras ouverts.

— Hé ! salut ! Ça va super bien ! Il ne faut pas que je laisse mes bâtons rouiller. Et tu sais bien que mon jeu a besoin d'une attention constante, sinon, je le paie cher ! Tu te rappelles l'hiver dernier, hein ? lui dis-je en répondant à son accolade amicale.

— Alors, quoi de neuf, ma chère ? Ton chum va bien ? ajoute-t-il, en me regardant dans les yeux.

La question arrive un peu trop rapidement à mon goût, c'est évident. Contrairement à mon habitude, cette fois-ci je me sens une certaine obligation de lui donner quelques détails. En fait, il nous connaît tous les deux, et je me sens très à l'aise d'aborder le sujet avec lui. De plus, une fois l'abcès crevé, le sujet sera clos et nous n'en reparlerons plus. Évidemment, je prends bien soin d'éviter les débordements dans les explications. Rien ne doit laisser d'indices sur la loterie, je tiens à mon anonymat. J'imagine les ravages d'une telle nouvelle dans un endroit comme celui-ci. Loin de moi l'envie d'être l'animal de cirque que l'on pointe du doigt. J'exagère, je le sais bien. Mais en cas de doute, mieux vaut s'abstenir. Depuis près de dix ans, cela me sert à merveille. Pourquoi changer une formule gagnante?

Il m'accompagne jusqu'au simulateur où je prends le temps d'installer mon matériel. Cette étape est un rituel qui me permet graduellement de me retirer dans ma bulle, le but étant de me concentrer sur mon jeu. C'est d'ailleurs la raison pour laquelle j'y viens seule. Pendant qu'il règle les différents paramètres de l'ordinateur, la discussion se poursuit. Il m'informe de ce qu'il a fait durant l'été. J'en fais de même. De façon générale, bien sûr. Il y a des mois qu'on s'est vus, pourtant rien n'y paraît. Une sympathique conversation, franche et honnête, entre deux amis qui s'aiment bien. Sauf que je ne souffle pas un mot de la loterie. Après tout, on n'a pas à savoir le contenu du compte de banque de la personne à qui l'on parle. Ça ne devrait absolument rien changer à la situation. Je crois que je me préoccupe trop de cette question. Je devrai apprendre à la laisser de côté complètement dans mes relations avec les gens. Même au risque de tomber sur quelqu'un qui fera tout pour en tirer profit. Le risque est faible, mais il est tout de même bien présent. Voilà! J'en arrive toujours à la même conclusion lorsque j'ose réfléchir sur ce sujet. Quoi qu'il en soit, le moment est bien choisi pour le faire. Depuis la rupture, je me suis juré de prendre un temps de pause, et c'est exactement ce que je m'efforce de faire. Aborder de front tout ce qui est confus. Le résultat n'est aucunement garanti. Mais quand l'est-il?

– J'aime beaucoup discuter avec toi, on est vraiment sur la même longueur d'onde, tu ne penses pas? De mon côté, j'ai rencontré quelques femmes, mais ce n'est pas terrible. Il faut absolument que l'autre ait les mêmes passions, c'est comme ça qu'on développe une belle complicité. À un moment donné, on en a marre de recommencer tout le temps et de frapper le mur ! m'avoue-t-il, en me regardant longuement.

– Tu as raison, ce n'est vraiment pas facile. Après plusieurs années en couple, je me rends compte que le milieu des célibataires est compliqué. Je crois qu'il faut surtout savoir ce que l'on veut. Sinon, on se fait prendre à tenter de faire fonctionner des relations qui n'ont pas de sens. Juste pour ne pas être seul. Tu vois, moi, je réfléchis encore à ce que je désire. Ce n'est vraiment pas clair. Alors, je suis certaine que si j'entreprenais un rapprochement avec quelqu'un, ce serait perdu d'avance. En plus, le risque est de perdre un ami. Ou bien que l'un des deux soit blessé. En fait, c'est pas si mal, la vie de célibataire ! Tu ne peux quand même pas me dire que tu n'aimes pas faire ce que tu veux quand tu veux ? Il faut aussi voir les côtés positifs ! dis-je sur un ton humoristique, en prenant bien soin de peser le sens de chacun des mots que je prononçais.

Il me regarde en souriant. Je suis persuadée que mon message a passé, sans faire de dégâts. Peut-être ai-je simplement imaginé l'intérêt qu'il pouvait me porter. Je n'en sais rien, mais j'ai préféré éteindre le feu avant qu'il prenne vraiment. Le résultat est que, en ce moment, je me sens totalement libre. Et je l'apprécie davantage. Aucune raison de me questionner sur les sentiments de l'autre, son attitude, et toutes les autres pensées qui nous hantent en début de relation. Je crois que c'est assez clair, je ne suis pas encore prête ! Par contre, mon jeu est au-dessus de mes attentes. Un pointage tel que je regrette d'avoir joué cette partie seule, personne ne pourra en témoigner. D'accord, un conjoint aurait pu. Mais pour le moment, le fait d'avoir évité le pire me donne des ailes. Et j'ai certainement envie de voler.

Dans les semaines qui suivent, je suis plongée dans le temps des fêtes. Je me laisse envahir totalement par l'ambiance de réjouissance qui règne partout. Mais le plus étonnant est que cela me semble beaucoup plus intense cette année ! Encore un indice supplémentaire qui me démontre que mon couple était sur la corde raide. Ne doit-on pas voir cette période comme le moment de se rapprocher de notre conjoint et de savourer sa présence ? Alors je devrais être dévastée au plus haut point en ce moment. Je devrais me morfondre en larmes sur cette tragédie. Être seule pendant la période la plus joyeuse de l'année. Certains diraient que c'est le signe d'une triste vie de perdant. Honnêtement, je ne le crois pas. En fait, je me sens davantage comme une gagnante. Dans tous les sens du mot ! Dans mon cœur... et à la banque.

Janvier est un mois très difficile pour moi. Mon corps me dit que le printemps va bientôt se pointer le bout du nez. Par contre, un regard à l'extérieur me ramène sur terre. À Québec, l'hiver ne fait que commencer et le pire est encore à venir. J'ai déjà expliqué dans mon livre précédent les raisons qui expliquent cette haine viscérale du froid. Bien entendu, cet état de fait est en grande partie psychologique. Cependant, mettons-nous un instant dans le corps de quelqu'un qui a constamment l'impression d'être en état d'hypothermie. La réalité est indiscutable, la chaleur du soleil est un bienfait thérapeutique ! Mais la Floride, c'est pour plus tard, il me faut d'abord traverser quelques semaines de souffrance. Rien ne m'empêche de les adoucir autant que possible. C'est la raison d'être du simulateur de golf dans ma vie. L'outil qui devra me permettre d'apprivoiser cette période et de m'en tirer sans trop de séquelles.

Je retourne donc au centre et, dès mon arrivée, le propriétaire me salue, et nous échangeons quelques mots amicaux. Je suis rassurée, tout est comme auparavant. Aucune trace de la discussion précédente. Je dois avouer que je l'aime bien, cet homme. Et s'il avait raison ? Peut-être aurions-nous réussi à développer une complicité étonnante. Si je faisais une grave erreur en arrêtant net toute tentative de rapprochement ? Mais qu'est-ce que je cherche au juste, la perfection ? Passer à côté d'une belle occasion, est-ce le but de ma réflexion ? À quoi sert-il de prendre son temps, si c'est pour regarder passer les candidats

intéressants? Pour avoir ensuite des regrets amers?
devrais-je relancer le sujet avec lui? On pourrait simpleme..
discuter entre deux adultes matures. Cela n'engage absolument
à rien.

Non, en effet. Aucune obligation. Par contre, juste à cette
pensée, je sens monter en moi une vague d'appréhension. Mais
s'il n'y avait que cela. Viennent aussi avec elle la sueur abon-
dante et la chaleur intense, ce qui n'est vraiment pas habituel
pour moi. Je sens mon rythme cardiaque s'accélérer. Pour être
plus précise, mon muscle cardiaque essaie tant bien que mal de
se frayer un chemin à l'extérieur de ma poitrine. La machine
s'emballe. Du déjà-vu. Oui, à l'aéroport, en Floride. Oh non!
alerte rouge! Je dois absolument orienter mon esprit vers autre
chose, c'est urgent. D'ailleurs, c'est ce que je fais immédiatement. Virage à cent quatre-vingts degrés. Direction, le moment
présent. Je ne peux pas me permettre d'analyser la situation,
j'aurai amplement le temps de le faire plus tard. Ça va aller. Tout
va bien maintenant, beaucoup mieux. Je dois me concentrer sur
ma partie en cours sur le simulateur. J'y vais donc de mes premières observations. Par la suite, ça va tout seul. Quel magnifique terrain de golf, j'aimerais un jour avoir la chance d'y jouer.
Kapalua, Hawaï. Pas étonnant que le «PGA Tour» y soit présen-
tement. Oh, que j'apprécie ma liberté! Et que je déteste tout ce
qui la menace. La réalité vient de me sauter aux yeux, aucun
doute possible.

Ma partie va bon train et toute mon attention est dirigée
vers les difficultés techniques de Kapalua. J'en suis maintenant
au dix-septième trou. Comment est-ce possible qu'un jeu débute
avec autant d'émotions et qu'il s'achève aussi sereinement? En
fait, je crois que la volonté d'éviter les tracasseries a tout simplement pris le dessus. Dépenser de l'énergie à tenter de résoudre
une situation hypothétique, rien n'est plus inutile. Ultimement,
la raison prend enfin le dessus et les émotions disparaissent. Ou
elles s'endorment, temporairement.

Au moment précis où je m'apprête à effectuer mon coup roulé, j'ai l'impression bizarre d'être surveillée. Et cela se répète depuis quelques minutes. Alors, forte de ma surprenante reprise de contrôle précédente, je me rappelle à l'ordre. Pas question de ruiner cette fin de partie par une hypothétique sensation sans aucun fondement. Je frappe alors mon coup sans même regarder autour de moi. À l'instant où la balle frappe le mur du fond, je suis interrompue.

– Salut! moi, c'est Gilles. Je suis dans le simulateur juste à côté. Je te regarde jouer depuis un moment. Tu es une bonne joueuse, c'est évident. Tu dois certainement être membre d'un club et jouer souvent! me lance cet homme, en s'approchant dangereusement de mon espace vital.

– Merci, dis-je de façon nonchalante, en replaçant mon fer droit dans mon sac.

– J'ai remarqué que tu venais régulièrement ici. Moi aussi. Parfois je viens avec mon groupe d'amis, parfois seul. Je suis membre d'un club, alors je joue beaucoup l'été. Et l'hiver, on est tous pareils, on trouve le moyen de garder la forme! ajoute-t-il, l'air convaincu que son histoire m'intéressait au plus haut point.

– Oui, c'est certain, que je lui réponds tout en peaufinant ma position pour frapper le coup de départ du dix-huitième trou.

– Écoute, comme tu viens régulièrement, on pourrait en profiter pour jouer un parcours ensemble une bonne fois! poursuit-il sur un ton qui me semblait plutôt blagueur.

– Hum! peut-être... lancé-je, convaincue que mon air absent mettrait un terme à cette sinistre tentative.

– Eh bien, tu vois, on pourrait se rencontrer la semaine prochaine. Disons mardi, comme aujourd'hui, même heure, continue-t-il, me démontrant hors de tout doute que son sens de l'observation est totalement nul.

– Hum... que je murmure, prise au dépourvu par cette insistance.

– Moi, je vais y être, d'accord ? On se donne rendez-vous ici mardi prochain. Si un des deux a un empêchement, ce n'est pas plus grave que ça. L'autre vient jouer de toute façon ! décide-t-il unilatéralement.

Pendant cinq interminables minutes, j'ai droit à un monologue en règle. Cela peut sembler incroyable qu'un homme réussisse en si peu de temps à révéler autant de détails sur sa vie et sa condition financière, tout en s'interrogeant si peu sur son interlocutrice. Ce lamentable spectacle se déroule devant moi. Je suis fascinée. Non pas par ses propos, mais par la triste réalité qui prend forme lentement dans mon esprit. Est-ce là le résultat de plusieurs années de célibat ? Cette caricature qui déblatère son boniment pour la énième fois, pour une énième tentative de séduction. Qui ne semble aucunement prendre conscience de ce qui se passe à un mètre de son nez. C'est-à-dire un niveau d'intérêt à zéro, même pour son compte bancaire. Peut-être en arrive-t-on à ce point après les échecs à répétition. Réciter un banal condensé de sa personnalité à qui veut bien l'entendre. Un automatisme développé avec le temps. Conséquence directe des défaites amoureuses que l'argent n'a pu acheter. Il incarne exactement ce que je mets tant d'effort à éviter. Une existence marquée par la désillusion, et l'argent comme appât.

En fait, c'est suffisant pour aujourd'hui. J'ai amplement eu ma dose d'émotions fortes. Je rassemble rapidement mes bâtons de golf. Je salue amicalement mon interlocuteur, en lui promettant dur comme fer d'être au rendez-vous la semaine prochaine. Lorsque j'ouvre la portière de ma voiture, un sourire de satisfaction s'affiche sur mon visage. Décidément, tout se passe comme je le désire. J'adore ma vie de millionnaire célibataire. Je vais donc continuer ma réflexion et prendre tout mon temps. Je jette un dernier coup d'œil au commerce. Parce que je n'y retournerai plus.

Chapitre 7

Le corps se rebelle,
rien ne va plus

PENDANT LES QUELQUES SEMAINES QUI SUIVENT, JE REVIS CET épisode à répétition dans mon esprit. Chacun des mots dits par cet homme est imprimé dans mes circuits nerveux. Pas étonnant que je sois toujours marquée. Je m'amuse à tenter de les interpréter de toutes les façons possibles. Parce qu'elle est justement ici, la difficulté. Ma courte expérience avec les célibataires de carrière. Je sais très bien qu'avec le temps, il est incontestable qu'une attitude particulière se développe, et que cela transparaît dans le type d'approche qui sera utilisé avec les candidats potentiels. Je me rappelle clairement les longues discussions avec des amis qui ont évolué sur le circuit pendant un certain temps. J'étais totalement fascinée par leurs révélations. Et cela m'a d'ailleurs permis d'amorcer un questionnement sur le fait que je devrai porter une attention particulière aux solitaires qui passent d'une partenaire à l'autre, tout simplement. Certains signes ne trompent pas. Par contre, je n'ai pas l'intention de m'y attarder pour l'instant. Le moment est plutôt mal choisi.

Le fait de mettre un terme aussi abruptement à mes séances hebdomadaires sur le simulateur de golf a entraîné quelques conséquences. Ces moments particuliers me procuraient un bien énorme où j'avais l'impression de me faire un cadeau. Pendant ces quelques heures, j'étais seule avec mes pensées et libre de laisser aller mon imagination. Celle-ci m'emmenait là où elle le voulait bien. D'ailleurs, de tous les changements survenus dans ma vie depuis le gain à la loterie, je peux affirmer sans aucun doute que c'est ce qui fait la plus grande différence dans mon quotidien. Avoir le luxe de se permettre du temps pour soi. Ne plus avoir l'obligation de travailler à temps plein, c'est la clé de mon nouveau bonheur. Après avoir accordé toute l'attention dont mes grands enfants ont besoin et effectué les autres obligations, le reste m'appartient. Pas étonnant que j'apprécie tellement ces moments privilégiés. D'ailleurs, la plupart de mes idées originales ont émergé lorsque je profitais de cette nouvelle liberté. Un esprit libre de toutes contraintes financières peut être très fertile. Mais encore faut-il faire un certain tri. De mauvais choix peuvent entraîner des catastrophes. Nous le savons, ce sont d'ailleurs les seules histoires de millionnaires que nous entendons.

Les visites au simulateur étaient un acquis dans mon petit conte de fées. Alors, quelle drôle d'idée d'y mettre fin ? Et cette liberté, celle qui m'est si chère, est-elle fragile au point où la simple tentative d'approche d'un homme la mette carrément de côté ? Mon discours est celui d'une femme qui a assimilé sa nouvelle vie et son autonomie. Est-ce que ce ne sont que des paroles, justement ? Il me semble que mon comportement est plutôt ambigu. Je l'admets, c'est une réaction très étrange que de quitter subitement l'endroit. De toute évidence, c'est tout ce que j'ai la capacité de faire pour l'instant. Je suis convaincue que j'arriverai à justifier d'une façon sensée et intelligente cet aberrant recul. Honnêtement, je réalise très bien que cette situation a toutes les allures d'une capitulation. Mais je préfère traiter cette volte-face comme de la matière supplémentaire qui s'ajoute à ma réflexion, celle que j'ai entreprise depuis la rupture. J'ai encore une fois la confirmation que beaucoup de chemin reste à faire. Pendant ce temps, la vie suit son cours et cela me convient parfaitement parce que j'ai tout mon temps.

C'est une chose de mettre de côté le simulateur, par contre mon jeu a besoin de toute mon attention pour se maintenir à un niveau adéquat. Dans quelques mois, les parcours de golf de la Floride s'étaleront devant moi. Tout doit être à point, car j'aurai l'occasion de jouer plusieurs parties seule. C'est amplement suffisant comme défi personnel. Nul besoin d'en rajouter avec une technique médiocre.

Cet objectif est primordial pour moi. Évidemment, je suis consciente que, vues d'un œil extérieur, mes préoccupations personnelles semblent bien superficielles. Il faut bien peu de sujets d'intérêt pour se préoccuper autant d'un sport. Cependant, ce n'est pas aussi simple qu'on pourrait le croire. Dans le domaine des émotions, tout doit être mis en contexte et relativisé. Car, j'insiste, il est incontestablement question ici du monde émotionnel, non pas d'un simple élan de golf. Pour l'instant, le golf est le permis que je dois obtenir pour m'assurer une liberté totale. Saisissant, n'est-ce pas? Oui, tout à fait, j'en suis à ce point dans ma vie actuelle. Le quotidien nous offre souvent des paradoxes semblables. Cependant, nous n'en prenons pas toujours pleinement conscience. Par exemple, de façon générale, le permis de conduire est, pour le nouveau conducteur, une porte ouverte vers une nouvelle réalité. Ses nouvelles habiletés déploieront devant lui toute une panoplie de possibilités. Il n'ira peut-être pas plus loin, mais il pourra y aller seul. Voilà, ça ne peut être plus clair.

Y aller seule, tout simplement. C'est mon objectif ultime. Et ce n'est définitivement pas une question de sociabilité. Cette étape, que je dois absolument franchir, devrait m'amener vers une liberté bien particulière. L'autonomie, la confiance et, bien sûr, l'essentiel, la liberté de choisir. L'argent en est une forme. Mais on peut avoir tout l'argent du monde et être esclave. Sans jamais s'en rendre compte. Puis arrive un événement qui catapulte notre quotidien aux oubliettes. Tout prend une allure différente, y compris notre façon de penser. Ces dernières années, les changements se sont accumulés dans mon petit univers. Gagner des millions à la loterie demande une certaine adaptation, aussi positive soit-elle. Et l'effet d'une rupture s'ajoute, même si elle était salutaire. C'est ainsi que la détonation a mis le feu aux poudres. Et comme la règle est de toujours contrôler la direction du canon, je mets tout en œuvre pour l'orienter vers une orientation sécuritaire. Je sens que je suis à la croisée des chemins, en quelque sorte. Si des choix s'offrent à moi, j'aimerais avoir la capacité de les évaluer pleinement. Ce que je ne peux faire maintenant, parce que trop de zones obscures ont besoin de lumière.

Dans les semaines qui vont suivre, je devrai me contraindre à faire cavalier seule. Résister à la tentation d'inviter une amie, mais surtout affronter les activités en solo. Cependant, cette démarche est déjà amorcée. Dès les premières semaines de mon célibat, mon instinct me dictait de garder une certaine zone de sécurité autour de moi. Mais il semble de plus en plus évident que cet espace vital mérite certains ajustements. Je devrai donc apprendre à contrôler les réactions excessives. Et c'est peu dire ! L'événement qui s'est produit au simulateur de golf en est un exemple flagrant. En fait, je suis convaincue d'être sur la bonne voie. Ma route est pavée de situations aberrantes. J'en suis à la première étape, c'est-à-dire essayer de comprendre la raison de ces comportements. Par la suite, la vie reprendra son cours normal, c'est évident !

Mais, dans la réalité, je dois occuper mes temps libres. J'ai banni le simulateur temporairement, le temps de comprendre certaines choses. Par contre, il semble que cette soi-disant lumière ne se fera pas en claquant des doigts. Alors autant penser à une solution de rechange, sinon, l'élan de golf en souffrira, et ma liberté aussi !

J'ai déjà précisé plusieurs réalités sur le sujet. Gagner à la loterie n'a pas changé notre personnalité. La différence se situe au niveau de la capacité à profiter de la vie. Plus concrètement, cela signifie que, lorsque j'ai décidé d'équiper le garage pour mettre au point ma technique de golf, mes désirs ont été comblés rapidement. Auparavant, le budget aurait dû être aménagé en conséquence et respecté à la lettre. Sans oublier que l'éternelle question se serait posée: «Y a-t-il quelque chose de plus essentiel dont j'aurais besoin?» Il est très probable que la réponse aurait été un «oui» pur et dur. Et cela aurait sonné la fin du projet de simulateur... dans le garage qui, d'ailleurs, n'existait pas.

Je suis une fille très disciplinée et entêtée. Donc, à l'intérieur d'un intervalle de temps très court, j'ai à ma disposition une installation très respectable pour mon niveau de golf. Quant au temps disponible pour en profiter, les limites sont celles que j'établirai, tout simplement. Gracieuseté d'un fameux billet gagnant. Cependant, si le gain entraîne son lot de placements garantis à la banque, il en est tout autre du talent. Aucune garantie n'y est attachée. Alors c'est ici qu'entre en jeu la détermination. Dans mon cas, certains iraient jusqu'à affirmer qu'il s'agit d'acharnement. Difficile de juger s'il est vraiment essentiel de se procurer un tel équipement, juste pour jouer au golf. En fait, le contraire me semblerait davantage une aberration. Par exemple, investir dans des équipements pour ensuite les laisser en plan et ne pas en profiter. «Encore une autre envie de millionnaire qui ne mène à rien!» dirait-on, et avec raison. Excepté tous ceux qui ont englouti des économies sur un tapis roulant ou un appareil elliptique un jour, pour le laisser reposer sous la poussière! Allons donc, ce n'est pas du tout la même chose, pourrait-on croire. Vraiment? Gagner à la loterie ne change pas vraiment les gens. Les jouets sont plus chers, c'est tout.

Quoi qu'il en soit, dans ma nouvelle réalité, la question ne se pose pas vraiment. Je me suis fixé un objectif et j'ai mis en place tous les moyens pour l'atteindre. Dans le cas où ce serait un échec, je classerais cette erreur dans le tiroir des expériences à ne pas répéter. Et elle s'ajouterait aux autres. Les remords pour les sommes engagées seraient bien vite dissipés. Auparavant, ils m'auraient empêchée de dormir, mais c'était dans une vie précédente. Autre changement majeur marqué par le gros lot. En fait, il est totalement invraisemblable que je me trompe. Comment croire qu'en investissant du temps sans compter à améliorer ma technique au golf je n'arriverais pas à mes fins? C'est de la folie pure de croire que je n'aurai pas les résultats escomptés. Je peux visualiser, de façon très claire, tout mon cheminement. D'abord, mon élan manquera de finesse. Ce ne sera pas une surprise puisqu'il y a maintenant des semaines que je n'ai pas eu l'occasion de manier les bâtons. Mais, heureusement, l'une de mes qualités premières est d'être disciplinée. Cette assiduité à mes séances portera ses fruits rapidement. Je l'ai appris dès mon très jeune âge. Pour réussir, il faut y mettre les efforts. Rien n'arrive tout seul... sauf le numéro gagnant.

J'entreprends donc ma période d'entraînement avec une attitude positive. J'imagine déjà mon nouvel élan perfectionné à un niveau que je n'ai pu atteindre, même après plusieurs années. J'établis mon plan d'attaque, et il comportera plusieurs étapes. Mes points faibles maintenant identifiés, il suffit d'y apporter les correctifs nécessaires, et la machine se mettra en branle. Mon corps, grâce à la répétition des mouvements critiques, assimilera la routine parfaite. Et comme la logique doit certainement s'appliquer au golf, je verrai des résultats étonnants. Mes coups de départ gagneront peut-être jusqu'à trente mètres. Quant à la distance atteinte avec mes fers, non seulement elle ne peut que s'allonger, mais la précision sera incroyable. Bien entendu, cet élan amélioré fera en sorte que la face du bâton attaquera la balle exactement au bon endroit. Je n'ose imaginer les coups d'approche qui atterriront immanquablement sur le vert à chaque fois. Par ailleurs, j'aurai à me concentrer sur les coups roulés en début de saison, comme chaque année. Néanmoins, ce point ne m'inquiète aucunement, parce que, habituellement, cela relève de la confiance en soi. Ouf! je vais être en feu sur le parcours. Selon mes calculs, toutes ces améliorations devraient se refléter sur mon pointage. J'imagine facilement que huit à dix coups pourront être soustraits de mon pointage habituel. Alors, magnifiques terrains de la Floride, préparez-vous à mon arrivée!

Avec cette pensée constante en tête, la concentration est à son point culminant. J'ai confiance en moi et en particulier à mes aptitudes sportives. Mes résultats au golf correspondent déjà à mes attentes, ce qui est excellent. Par contre, n'est-il pas normal de viser l'amélioration constante ? La différence ne sera certainement pas visible aux yeux des étrangers. Cependant, dans mon for intérieur, je suis à même de constater l'énergie que j'investis dans ce projet. Évidemment, l'autre option serait de m'accepter telle que je suis, avec mes forces et mes faiblesses. Personne ne me demande d'améliorer mon score. Aucun golfeur ne refusera de jouer avec moi sous prétexte que je ne joue pas « le par ». Alors, il doit certainement y avoir une motivation autre qu'un élan à améliorer. Je suppose que mon tempérament est ainsi fait, c'est-à-dire que je vise le dépassement. Quelle réponse brillante ! J'adore. Voilà une explication philosophique, rien de moins. Mais, sans aucun doute, trop beau pour être vrai, ce petit manège. Je ne sais pas qui je crois tromper ainsi. Mais l'essentiel, c'est d'y croire aussi longtemps que possible.

Mes séances vont bon train, et mon engagement est total. L'horaire est scrupuleusement établi, avec des fréquences déterminées et des durées minimales. Impossible de me défiler. Enfin, je le pourrais, mais cela ne m'effleure même pas l'esprit. À première vue, toute cette mise en scène peut ressembler à de l'esclavage. Mais les apparences sont trompeuses. Je ne suis qu'une personne entièrement dédiée à son projet. À la limite, ce climat tendu pourrait même être qualifié de malsain. Or, ce serait ne pas bien reconnaître les signes d'une concentration de haut niveau. En somme, il y aurait de quoi éliminer définitivement toute envie de jouer au golf à quiconque. Sauf que, dans mon esprit, ce sont les efforts à mettre pour viser l'excellence. Et tant que j'en suis aussi frénétiquement convaincue, je ne perds pas de vue mon objectif.

J'ai établi au préalable que des séances d'une heure à raison de trois fois par semaine seraient amplement suffisantes. Après tout, les correctifs à apporter sont minimes. Quelques semaines pour reprendre la forme et atteindre rapidement le niveau voulu. Reste ensuite à assimiler les changements par une simple routine de maintien et le tour est joué. La première semaine est plutôt ardue. Beaucoup plus que je ne l'aurais cru au départ. J'en conclus que j'ai tout simplement trop tardé depuis l'épisode du simulateur. Mais je ne m'en fais pas outre mesure, car c'est un sport qui peut souffrir beaucoup de l'inactivité. Qu'à cela ne tienne, pour compenser cette léthargie dans mon élan, j'augmente la fréquence. C'est juste temporaire puisque j'ai l'intention de la ramener à trois fois par semaine dès que tout se sera replacé.

Ainsi, tous les soirs maintenant, je me retire dans mon garage. J'aime bien allumer la radio pendant les séances. Par contre, je ne l'écoute pas. C'est normal, ma concentration en souffrirait. En fait, je m'aperçois qu'elle me dérange de plus en plus. Je songe à la laisser éteinte les prochaines fois. Je vais peut-être mieux jouer. D'autant plus que certaines chansons semblent faire monter un peu d'agressivité en moi. Rien d'étonnant ! Qui n'a pas en tête un ou deux succès qui font monter la pression dès les premières notes ? En fait, il est vrai que l'élan ne va pas très bien. Alors, c'est peut-être pour cette raison que mon calme se dissipe à l'occasion. Je ne me plains pas, je savais que ce ne serait pas facile. Mais pas à ce point, cependant. Les raisons et les explications sont nombreuses. J'en choisis quelques-unes, les plus plausibles, pour justifier mes difficultés. J'en discute autour de moi, mais on ne semble pas comprendre. Lorsque je révèle le temps et les efforts que j'y mets, on me regarde étrangement en commentant : « C'est beaucoup, tu ne trouves pas ? » Je ne suis pas étonnée, il n'est pas évident de comprendre quelqu'un qui travaille à régler une anomalie dans son élan de golf.

Mon entêtement me pousse à poursuivre dans la même direction, parce qu'un changement de cap m'obligerait à revoir ma stratégie et, par le fait même, remettre en cause les fondements de ma logique. Mais, plus encore, les conclusions de cette remise en question pourraient être étonnantes. Je ne suis pas convaincue que ce genre de surprise me ferait sourire en ce moment. Alors, je préfère de loin utiliser une manœuvre que je connais bien, soit prendre bien soin de ne pas modifier mon itinéraire. Et quant au problème qui semble prendre forme, l'attitude aveugle est celle qui convient le mieux. Bien sûr, je suis consciente que cette tactique ne m'a pas bien servie dans ma vie de couple, c'est le moins qu'on puisse dire. Cette fois, le contexte est différent. Il est question de golf, tout simplement. Par conséquent, mon acharnement devrait être récompensé, d'autant plus que j'ai le contrôle total de la situation. Ce n'est la faute de personne d'autre si mon jeu est pourri.

C'est exactement ce dont on parle. Plus les heures d'entraînement s'accumulent, plus la performance décline. Ce n'est pas tout à fait le but recherché. Au contraire, je me sens désorientée par l'allure que prend la situation. Sans oublier que la fatigue physique s'accumule et que le moral a de la difficulté à suivre la cadence. En désespoir de cause, je tente le tout pour le tout et je pile lamentablement sur mon orgueil.

– Peux-tu venir me donner un coup de main ? J'ai un sérieux problème avec mon élan. Je ne comprends pas ce que je ne fais plus comme avant, mais je frappe le sol avant la balle. À chaque fois. C'est tellement frustrant ! Regarde bien et dis-moi ce qui ne va pas, expliqué-je à mon fils en m'installant pour un énième mouvement raté.

– Tu devrais faire attention quand tu montes le bâton, parce que tu as tendance à avancer ta tête et à glisser à droite. Alors quand tu redescends pour frapper la balle, tu frappes le sol avant, c'est certain, me répond-il calmement après avoir été témoin de mes essais ratés.

– Merci pour les conseils. Je ne sais pas ce que je fais, mais c'est clair, j'ai complètement perdu mon élan. Et je ne vois pas l'ombre d'un début d'amélioration. Je suis désespérée, lui dis-je, en n'essayant même pas de cacher mon attitude de découragement.

– Bon... ne lâche pas, maman. Tu vas te replacer, c'est sûr. Si tu as besoin de moi, ne te gêne pas, lance-t-il sur un ton positif, un peu désemparé par ce qu'il voit devant lui.

Je ne crois pas qu'il ait déjà vu sa mère dans cet état. Ou du moins, je savais me dissimuler. Cette fois, je n'en ai assurément pas la force. Il faudra me prendre comme je suis, lamentable. Lentement, il tourne la tête pour me jeter un dernier coup d'œil, puis il quitte le garage en fermant la porte avec douceur. Comme s'il avait peur que la structure s'effondre. Mais c'est moi qui m'écroule. Seule dans mon garage, un fer cinq dans les mains, dans un silence total, les larmes jaillissent enfin. Quel soulagement ! Depuis des semaines, elles tentent de se frayer un chemin sans y parvenir. Rien d'étonnant puisque j'ai mis autant d'effort à les refouler qu'à frapper sur le sol. Dans ma petite cage dorée, je me sens protégée, suffisamment pour laisser aller toute la frustration que j'emmagasine depuis que je me suis attaquée à modifier un élan qui n'en avait nullement besoin. Maintenant, je suis à genoux, dans tous les sens du terme. Mon fer cinq toujours dans les mains, j'essuie du revers de mon gant les larmes qui coulent. Je laisse aller.

Ma garde est abaissée, je n'ai plus d'énergie pour la maintenir en alerte. La zone de guerre gît devant moi. Les bâtons de golf étalés et le tapis vert totalement ruiné témoignent de mon acharnement. Tout redevient calme maintenant. Après la bataille, c'est le moment d'évaluer les pertes et de déterminer quel était le point faible de cette stratégie. Pourtant, elle semblait sans faille. Justement, à ce moment précis, de petits éclairs de lucidité émergent dans mon esprit. *Ça ne peut pas continuer, il faut que je prenne le problème de front.* Il est grand temps de cesser le comportement de l'autruche, même si cela signifie admettre une faiblesse. Et elle n'est pas au niveau de l'élan. Mais ce sera tout de même le point de départ de ma réhabilitation. Je laisse finalement tomber mon fer cinq et mon gant. En me relevant, je sens le poids de cette prise de conscience sur mes épaules. Encore une fois, dans tous les sens du terme. Des douleurs intenses me font sentir que l'urgence se situe définitivement au plan physique. Mes mouvements de tête des deux côtés sont pénibles et presque insoutenables. Bien sûr, ces tensions sont installées depuis belle lurette. Elles correspondent exactement au début de mon entraînement. Cependant, admettre ce fait aurait signifié nécessairement une remise en question de tout le processus. Et peut-être l'obligation d'y mettre un terme. Ce qui n'était pas une option. Peut-être devrais-je regarder un peu plus loin et comprendre ce qui se cache derrière un simple mouvement de golf.

Mon état physique me force à faire un virage à cent quatre-vingts degrés. Cette fois, je n'ai même pas le luxe de me permettre d'avoir le choix. Une seule option s'offre à moi, et c'est d'aller droit devant, parce qu'il m'est impossible de faire autrement. Ma tête reste clouée dans cette position. Est-ce un signe? Honnêtement, je n'ai pas le temps de m'y attarder. J'ai l'impression que toute la zone qui englobe le cou et les épaules est complètement soudée. La moindre tentative pour forcer un mouvement de tête est douloureuse. Ce qui est probablement la cause des maux de tête fulgurants qui m'assaillent depuis des semaines. La réalité me saute à la figure, je suis dans un état pitoyable. Comment une millionnaire, qui n'a plus aucune raison d'avoir le moindre souci dans la vie, s'est-elle mise dans un pétrin semblable? Je le répète, même après la loterie, c'est la vraie vie. Et il y a encore des hauts et des bas. Ils sont différents, c'est tout.

J'appelle à la rescousse le seul spécialiste qui puisse m'orienter, mon chiropraticien. Quant à mon état d'esprit, la lumière se fait graduellement et je commence à y voir plus clair.

— Il va falloir plusieurs séances, Joanne. Tu es vraiment dans un mauvais état. Les coups frappés sur le sol à répétition depuis des semaines ont fait du dégât. Mais tu dois me promettre de voir un professionnel de golf. Ça ne donne absolument rien de s'attaquer à ton cou si tu ne travailles pas ton élan aussi.

Pas d'anti-inflammatoires, juste un professionnel de golf. Oui, c'est vrai, il m'a aussi glissé un mot sur le «pourquoi» d'un tel acharnement. Quelques séances de manipulation sont suffisantes pour me remettre sur pied. Le physique s'améliore à vue d'œil. Quant au golf, le magicien qui entreprend de me rebâtir un élan digne de ce nom fait des merveilles. Rapidement, il détermine le problème, et nous le corrigeons. Les premières balles frappées correctement ont un effet étonnant. J'ai l'impression de gagner à la loterie de nouveau! Qui a dit que l'argent faisait le bonheur? Une balle bien frappée vaut son pesant d'or. Au fond, c'est l'atteinte de ses objectifs qui compte.

Je n'ai jamais cru que le physique pouvait me transmettre des messages. Au contraire, j'étais persuadée d'avoir toute la lucidité nécessaire pour analyser mes états d'âme. Encore faut-il en être conscient. Parfois, les périodes de remise en question font en sorte que nous visons des sommets encore jamais atteints. Et je ne parle pas de montagnes. Les objectifs personnels que nous nous fixons doivent repousser nos limites. Mais personne n'a dit que ce serait facile. Ces buts que je vise, même s'ils semblent prometteurs, peuvent m'inspirer une certaine angoisse. La crainte de l'inconnu. Et il n'y a qu'une façon de maîtriser mes peurs. Je dois solidifier mes bases. Au golf, comme dans ma vie de tous les jours.

L'objectif à atteindre est d'être une célibataire autonome. Le moyen que je comptais utiliser était un élan de golf parfait pour me donner confiance en moi. Tout était en place pour la tempête parfaite. Ma peur de ne pouvoir être à la hauteur de mes attentes s'est transmise à mon corps. Les signaux de détresse ne se sont pas fait attendre. Maintenant, j'ai compris. Le golf n'est qu'un outil pour atteindre mon objectif. La technique n'a pas à être parfaite. Exactement comme à la loterie, le but est d'être heureux, et ce n'est pas toujours l'autoroute qui nous y amène. Au contraire, il semble que les courbes soient la norme dans la vie!

Chapitre 8

Ski de fond et rencontre...
terrain glissant!

MALGRÉ CES QUELQUES DÉBOIRES, L'ADEPTE DES ACTIVITÉS CARDIO-vasculaires en moi profite tout de même des joies de l'hiver. Eh oui! je l'admets, il en existe quelques-unes! Et le ski de fond en fait partie. On pourrait supposer que c'est un incontournable, en particulier chez une diététiste-nutritionniste. Habituellement, bonne alimentation et excellente forme physique vont de pair. Je suis de cette religion, en effet. J'ai été en mesure de le constater à maintes reprises durant ma longue carrière, à temps partiel! Fait étonnant, j'ai aussi remarqué, chez les gens qui prennent en main leur santé, une force de caractère hors du commun. Ces individus ont une énergie particulière qui leur permet de résister aux différentes tentations qui s'offrent à eux. Ils ont la capacité de garder les objectifs dans leur ligne de mire, peu importe ce qui arrive. Mes observations me portent à croire que certains naissent avec cette aptitude. Par contre, je suis convaincue que, chez d'autres, elle peut être latente et ne se manifester que lors d'un bouleversement. Habituellement, ces gens ont l'habitude de répéter: «Moi, je n'ai aucune volonté! Tout ce que j'entreprends ne mène à rien!» Puis un jour, la prise de conscience survient. Peut-être à la suite d'un événement particulier ou simplement parce que, soudainement, on peut voir la réalité en face. Et elle fait peur.

Cette peur peut être une étincelle fantastique! J'ai été témoin à tellement de reprises de cette fulgurante transformation. Parce que le médecin a été très clair dans ses propos, une petite phrase peut avoir un impact insoupçonné : « Vous pouvez laisser votre poids augmenter, et votre cholestérol, mais c'est la crise cardiaque qui vous guette. » Et voilà! En moins d'une semaine, ils sont assis dans mon bureau, prêts à écouter tous les précieux conseils prodigués par celle qui connaît la solution. Ces clients sont des perles. Ils collaborent pleinement et mettent en pratique les nouveaux concepts. Toute leur énergie est mise à contribution. Ils ont très bien compris que, s'ils ne mettent pas l'épaule à la roue, la diététiste ne fera pas le travail à leur place. Ils prennent la totale responsabilité de leur futur.

C'est vrai autant pour le poids que pour tout le reste! Pour moi, il n'y a absolument rien d'étonnant. La similitude entre le poids d'un individu et la vraie vie est stupéfiante. Il me suffit de voir le comportement d'une personne à l'égard de son poids, et il ne me reste ensuite qu'à extrapoler. En y apportant quelques nuances, bien sûr. Je peux par la suite en déduire assez précisément son attitude dans la vie. Par exemple, on dit souvent qu'un tempérament axé sur le contrôle... va débuter par son poids. C'est une théorie qui mériterait d'être développée. Elle n'est certainement pas infaillible mais intéressante. Et il me semble de plus en plus évident que le monde des célibataires comporte ses propres aberrations. C'est fascinant à observer. Sauf que je fais maintenant partie de la meute analysée. Évidemment, j'aimerais croire que, des deux groupes décrits précédemment, je fais partie de ceux qui prennent leur destin en main. Pourquoi pas? En matière d'objectifs, même si la ligne d'arrivée est encore floue, ne suis-je pas un exemple de détermination? D'autant plus que mon poids est très bien contrôlé. Théorie vérifiée!

Comme je vise toujours à atteindre l'autonomie en tant que nouvelle célibataire, je me fais un devoir de pratiquer quelques activités en solo. Pour être honnête, je dois préciser que, bien souvent, les amies travaillent pendant que j'ai le temps de m'amuser à devenir autonome. Bon, la culpabilité semble vouloir s'installer. Vite, je ramène à mon souvenir une époque pas si lointaine, avant les millions. La vie m'a mise à l'épreuve et j'en suis sortie indemne. Oui, j'ai beaucoup changé. Et je préfère la personne que je suis devenue, elle me plaît beaucoup. Pas si mal, le processus de guérison ! D'abord s'aimer soi-même, c'est le premier pas vers l'autonomie ! Une fois la culpabilité maîtrisée, mon énergie peut être canalisée et dirigée vers des tâches beaucoup plus productives. Comme une randonnée de ski de fond !

Ouf ! j'en conviens, tout cela ne fait pas sérieux. On dirait une série de concepts lancés à la volée. Tous les moyens font l'affaire lorsqu'il est question d'élever son niveau de conscience. Je ne fais que répéter ce que j'entends. C'est à travers notre quotidien que nous trouvons les ressources nécessaires afin d'augmenter notre intelligence émotionnelle. Si tout cela repose sur un fond de vérité, ce sera toute une aventure à skis ! Peu importe qu'elle soit enrichissante ou non au niveau mental, elle le sera certainement pour mon système cardiovasculaire. Si je prenais la peine de mettre en application certains concepts d'enrichissement personnel, j'aurais au moins la consolation de ne pas perdre mon temps. D'ailleurs, on dirait que je viens de trouver une façon originale de rentabiliser toutes mes occupations, même les plus anodines. Bon, d'accord, j'admets que j'aime bien me moquer de ce qu'on me raconte souvent sur la pensée positive et tout ce qui en découle. Mais, honnêtement, je crois que j'ai mis à l'épreuve inconsciemment toutes ces théories au fil des ans. Et j'ose croire qu'elles ont réussi puisque j'ai traversé quelques épreuves particulièrement difficiles. Je ne me suis tout simplement pas rendu compte que j'appliquais l'un de ces concepts. En fait, j'étais trop occupée à me sortir du pétrin pour réfléchir. Mais alors, que puis-je donc en déduire de la période que je vis en ce moment ? C'est exactement ce que je crois, comme j'ai énormément de temps pour pousser ma réflexion, ma situation ne doit certainement pas être désespérée. Un exemple de situation réellement catastrophique me vient en tête : vivre un divorce, une grossesse et une faillite au même moment. Je le sais, j'ai vécu cette tornade infernale! Et je ne me rappelle pas m'être permis une période de réflexion! Donc, en comparaison, cette fois-ci n'est qu'une petite brise.

Trêve d'introspection pour le moment, il est grandement temps de passer à l'action et de brûler des calories. D'ailleurs, j'ai une superbe paire de skis de fond de compétition qui n'attend qu'une bonne couche de neige fraîche pour montrer tout ce qu'elle peut faire. J'en parle avec fierté, parce que, je dois l'avouer en toute modestie, nous faisons une équipe formidable. Bien entendu, je n'irais pas jusqu'à dire que j'en tire le plein potentiel. Par contre, ils sont l'une de mes motivations à perfectionner ma technique. Comme au golf, le transfert de poids est d'une importance capitale. Autant être bien équipée pour le faire! On pourrait croire qu'il s'agit d'un caprice de millionnaire. Pas du tout. N'oublions pas que l'argent ne fait pas d'un sédentaire un sportif. Comme je l'ai déjà détaillé dans une autre histoire, les millions ne font qu'exagérer nos forces et nos faiblesses. La vraie nature de la personnalité ne change pas. Autrement dit, même sans le billet gagnant, je serais probablement une adepte du ski de fond. J'adore le ski, c'est l'hiver qui me répugne!

Une fois arrivée au chalet, j'aime bien prendre le temps de savourer le moment présent. Pour moi, cela signifie prendre un petit café en rassemblant mon équipement, sans me presser. Le fartage des skis peut sembler harassant pour certains, mais, au contraire, je vois ces quelques minutes comme une préparation mentale à la randonnée qui s'en vient. En règle générale, le produit recommandé est inscrit au tableau en grosses lettres. Cependant, je crois que nous avons tous les mêmes réflexes. Nous aimons bien remettre en question ce choix et tenter de faire notre propre analyse des conditions. Nous vérifions le thermomètre à l'extérieur et comparons les différents farts en notre possession. Bien entendu, nous achetons des couleurs sur le marché. Tout bon skieur a pris soin, avant de quitter la maison, de s'informer de la tendance du mercure. Puis, avec les éléments cruciaux en main, nous analysons la situation. Forts de toutes nos convictions et connaissances, nous portons finalement notre choix sur l'un de nos produits. Qui finit inévitablement par être celui qui était recommandé au départ.

Skier durant la semaine est de loin le moment que je préfère, pour de multiples raisons. D'abord, le stationnement est plus accessible. Mais surtout, l'espace au chalet est plus viable. Il est même possible d'agrandir notre bulle de quelques mètres. Évidemment, les enfants sont moins nombreux. Par contre, pour moi, ils représentent beaucoup plus une heureuse distraction qu'un handicap. Je suis de ceux qui croient qu'un enfant qui s'intéresse à un sport ou à un loisir ne se retrouvera pas sur le coin d'une rue à marchander de la drogue. C'est la philosophie que j'ai adoptée avec les miens, et les résultats sont probants. Encore une fois, les sports diffèrent selon l'époque de la vie de ma progéniture. Exactement comme dans le cas d'une transformation extrême, il y a «avant et après» le numéro gagnant. Leurs préférences ont oscillé entre la période karaté, équitation et pilote d'avion. Rien n'est plus efficace pour bien implanter la notion de discipline. Comme parents, nous tentons tout ce qui est en notre pouvoir pour semer les graines, mais rien ne vaut un bon terreau pour nourrir et renforcer ce qui se transformera éventuellement en estime de soi.

Je suis convaincue que cela constitue l'une des meilleures façons de préparer nos enfants à faire face aux défis personnels qui les attendent. Bien sûr, certains diront que l'on contrôle notre destin en tout temps et que l'adversité n'est que le fruit de nos erreurs. Mon expérience me révèle plutôt que les échecs nous permettent d'évoluer et de comprendre davantage les nuances de la vie. D'ailleurs, je n'ai pas encore trouvé la méthode originale pour diriger la destinée d'un couple. Il y a des relations qui nous permettent d'atteindre un certain niveau de bonheur. Puis, lorsque l'évolution des deux partenaires prend des tangentes différentes, la sagesse dicte tout simplement d'accepter l'inévitable. Par la suite, armés de ce nouvel échec dans notre sac à dos, nous continuons notre route jusqu'à la prochaine croisée des chemins. Celle des célibataires, plus achalandée... et risquée !

À cette heure avancée de l'avant-midi, les skieurs se font plus rares. En fait, c'est exactement le but recherché ! Il règne dans le chalet une atmosphère calme et sereine. Quelques-uns discutent tranquillement entre eux, pendant que d'autres, comme moi, semblent concentrés sur la semelle de leurs skis. La température clémente et les jolis flocons qui tombent doucement transformeront les sentiers en merveilleux tapis blanc. Le vent est totalement inexistant, ce qui est un phénomène rare à Québec ! Même s'il est mon allié pour la voile en été, c'est un élément répugnant de la nature en hiver. Mais aujourd'hui, tout est en place pour une expérience particulièrement agréable. La forêt, grâce aux arbres chargés de neige, sera complètement insonorisée des bruits de la ville et de la route. Par contre, le chant des oiseaux sera sublime ! Heureusement, ils ne migrent pas tous vers le sud. En fait, pour quelqu'un qui déteste l'hiver, la journée présente les conditions idéales pour presque changer d'idée. J'ai mon baladeur avec moi, mais il ne sortira pas de ma poche. Aucun succès n'est digne de ce que je me prépare à entendre en direct. Farter mes skis est un moment propice à ce genre de réflexion. Alors, il est naturel que ce genre de pensées bien abstraites flotte dans mon esprit. Et quiconque vit ces rares instants bénis fait tout en son pouvoir pour en savourer la douceur le plus longtemps possible. C'est exactement la raison pour laquelle j'étire longuement ma tâche sans en être pleinement consciente. Lorsque, subitement, des propos bien concrets me font descendre de mon nuage.

– Bonjour, Joanne ! Comment vas-tu ? Seule aujourd'hui ? s'informe l'homme qui s'approche de moi. Décidément, il semble y avoir quelque chose de louche à vaquer à mes occupations en solitaire !

— Bonjour, Denis! Superbe journée pour le ski, je ne pouvais pas manquer ça! Et toi, ça va? dis-je amicalement à ce gentil monsieur que je connais depuis des lustres, mais que j'avais perdu de vue depuis un bon moment.

— J'ai vu que tu venais régulièrement avec ton copain. Il ne pouvait pas profiter de ces magnifiques conditions aujourd'hui? poursuit-il, déterminé à connaître la raison de son absence.

— Hum! non, il ne pouvait pas. En fait, nous sommes séparés depuis quelques mois maintenant. J'ai manqué de temps derniè-rement, donc moins de ski. Mais j'ai l'intention de m'y remettre sérieusement, que j'ajoute, faisant en sorte de répondre à sa question tout en orientant la conversation vers un sujet plus léger.

— Ah! c'est triste! Mais ce n'est pas facile de trouver la bonne personne. As-tu rencontré quelqu'un depuis? poursuit-il, amica-lement, presque sur le ton de la confidence.

— Honnêtement, non. Je ne me sens pas prête pour l'instant. Je préfère prendre un peu de temps pour me retrouver, que je réponds, surprise de me voir relâcher ma garde à ce point.

— Je te comprends très bien. Moi aussi, après ma rupture, j'ai passé un moment seul. C'est une bonne chose, mais fais atten-tion, ça ne doit pas s'éterniser. Je crois que, pour qu'un couple fonctionne, il faut y aller avec des valeurs sûres, comme des gens qui font les mêmes activités, qui ont les mêmes intérêts. Il le faut, sinon on se retrouve à faire notre sport chacun de son côté. Pas terrible ça, hein! m'explique-t-il doucement, d'une façon amicale et rassurante.

— Oui, tu as raison, je suis d'accord avec toi sur ce point. Ce n'est pas une garantie de succès, mais c'est un bon point de départ, dis-je, sentant ma garde baisser d'un autre cran.

— Tu vois, moi je crois qu'il ne faut surtout pas précipiter les choses. La meilleure façon de développer une relation sur de bonnes bases, c'est de commencer lentement en s'apprivoisant, et les choses vont venir d'elles-mêmes. Dis donc, on pourrait

continuer à jaser en skiant! Tu fais quoi comme trajet habituellement? me demande-t-il, tout naturellement, comme si nous fai-
sions du ski ensemble chaque semaine.

– Eh bien, j'ai mon circuit préféré. Je fais la huit et la dix, ça
me donne dix kilomètres, dis-je, prenant bien soin de ne pas
répondre un «oui» très franc à son offre... légère hésitation,
peut-être!

– Excellent choix! La dix nous permet de pratiquer l'aspect
technique sur le plat, et dans la huit, on se laisse aller sur les
pentes! répond-il avec toute l'excitation de celui qui vient de
remporter une première étape sur un long parcours.

C'est un excellent skieur et il semble en très grande forme.
D'ailleurs, il me raconte qu'il pratique aussi la course à pied et les
sports de raquette. Nos rythmes s'adaptent rapidement et, en
quelques instants, nous nous retrouvons côte à côte, jasant
comme des amis de longue date. Je me surprends d'ailleurs à me
demander s'il joue au golf et s'il a déjà pratiqué la voile. Mais
cette pensée ne franchit pas le mur de mes lèvres. Le filtre est
efficace. Il doit me prémunir contre toute tentative d'invasion de
ma petite bulle et il joue très bien son rôle. Pour l'instant, je ne
vois aucune raison de modifier la tactique. Il faut conserver cette
stratégie jusqu'à nouvel ordre.

La discussion se poursuit allègrement. Il me confie comment
s'est terminé son mariage. Et les raisons de l'échec. Il me parle
de ses enfants dont il est extrêmement fier. Ils sont de jeunes
professionnels ayant un avenir prometteur. Comme parent, c'est
définitivement un signe de réussite. Maintenant qu'il a la conviction du devoir accompli, il peut se concentrer sur son propre
bonheur. Il est surtout déterminé à prendre le temps de choisir
une compagne qui envisage une relation à long terme. Contrairement à certaines conversations précédentes avec d'autres
hommes, celle-ci m'inspire confiance. Ses propos ne sont pas
des rengaines qu'il répète à satiété à tout ce qui porte une jupe.

Ces choses-là se sentent. Du moins, moi, je peux les sentir, peut-être parce que mon objectif est de m'en tenir très loin.

Autre point en sa faveur, ce gentil monsieur semble prendre un intérêt particulier à s'informer de mes aspirations. Mais il le fait avec tact et diplomatie. Il respecte mon rythme et s'y adapte, sans insister lorsqu'il sent une réticence. Nous parlons de voyages et racontons nos plus beaux souvenirs. Puis, les anecdotes fusent de part et d'autre, nos éclats de rire se perdent dans la forêt. Aucune tension ne semble exister entre nous deux. Cette sensation est nouvelle pour moi, et je la savoure pleinement. C'est ce que j'appelle une randonnée de pur bonheur. Cette fois, contrairement à toutes les occasions précédentes où l'on m'a approchée, son histoire m'intéresse. Je ne crois pas que la différence se situe au niveau de ce qu'il dit, mais plutôt de la façon dont il le fait.

Lorsque l'on raconte des événements particulièrement précieux, cela doit transparaître dans nos yeux. Il existe plusieurs façons de juger de la sincérité de quelqu'un. Mais rien ne vaut un éclat brillant dans le regard de l'autre. Je crois que je commence à cerner ce que je recherche. Ou, du moins, ce qu'il manquait aux autres pour susciter mon intérêt. J'ai envie de ressentir sa passion pour la vie. Plus encore, un don pour l'émerveillement. Non seulement pour les grands événements qui marquent une existence mais pour les petites choses. Ces détails qui passent totalement inaperçus aux yeux de ceux qui sont blasés par la vie. Peut-être qu'un jour j'en arriverai à ce point, moi aussi. Tellement saturée par les rencontres insipides que j'en perdrai tout espoir. Mais, en attendant, je tiens absolument à conserver cette capacité de fascination devant les petits bonheurs. Parce que j'ai de la mémoire. Je me souviens très bien d'une époque difficile et ce ne sont pas les grandes aspirations qui m'ont sauvée. Toutes ces petites joies qui auraient pu sembler insignifiantes pour certains étaient en fait ma bouée de sauvetage. Plus encore, cette facilité à savourer la vie a permis à ma famille de trouver la sérénité et le bonheur là où beaucoup ont échoué... lorsque les millions sont tombés du ciel.

Étonnamment, celui qui m'accompagne aujourd'hui semble démontrer les signes de celui qui aime la vie. Cependant, je peux me tromper, comme je l'ai déjà fait, d'ailleurs. La prudence est donc de rigueur. Pendant près d'une heure, nous arpentons les pistes sans trop nous rendre compte du chemin parcouru, ni du temps qui passe. En dévalant la pente près de la rivière, le paysage me saisit et la réalité me rattrape. Je sais pertinemment que le circuit s'achève. Je l'ai sillonné à tellement de reprises, ce détail ne peut m'échapper. Je suis en train de passer un moment des plus agréables avec un homme charmant. Nos propos sont amicaux et tout semble aller à la perfection. Lui aussi sait très bien que la randonnée tire à sa fin et son attitude démontre encore plus son intérêt. Depuis quelques secondes, j'ai cessé de parler. Je l'écoute attentivement.

Devant nous, une courbe accentuée, légèrement en pente. Ce dernier segment nous entraîne directement devant le chalet où les gens prennent le temps de retirer leurs skis. Nous nous laissons glisser doucement sur la pente en direction du chalet. Mes jambes se laissent aller, les skis suivent la piste. Je commence à entrevoir les grands supports à skis et quelques personnes autour. Certaines se préparent à attaquer les sentiers, pendant que les skieurs qui viennent de terminer discutent entre eux de l'état des pistes, probablement. Mon corps semble décontracté mais je sens mes muscles se rebeller. Je suis assaillie par une intense bouffée de chaleur. C'est l'adrénaline, j'en suis convaincue. Mes neurones fonctionnent à plein régime, je réfléchis à la vitesse de la lumière. Toujours sur ma lancée dans la descente, mes yeux font l'aller-retour entre l'avant du chalet et les environs. Rien dans mon comportement ne laisse présager à mon compagnon ce qui va se passer. Ni les raisons qui me poussent à le faire. De toute façon, je n'ai pas l'impression d'avoir le contrôle. Tout se passe trop rapidement pour que j'aie le temps d'en prendre vraiment conscience. Moins de quelques secondes sont suffisantes. Je sais qu'il opte pour la direction du chalet. Je prends celle du stationnement. Un simple «Bye, à la prochaine!» marque mon départ précipité.

Voilà, c'est fait. J'ai trouvé le moyen de couper court à toute occasion de le revoir. D'ailleurs, je n'y retournerai plus. Terminé le ski de fond! Je viens tout juste de faire mon choix. Même si je n'ai pas l'impression d'avoir vraiment choisi. Un peu comme un billet de loterie gagnant. Sauf qu'une différence majeure s'applique. Je ne peux m'en remettre au hasard comme simple explication. Tôt ou tard, il faudra que je découvre mes motivations profondes, les raisons qui me poussent à adopter un tel comportement. Et, qui sait, la loterie a peut-être son rôle à jouer dans ma réflexion. Les conclusions que j'en tirerai pourraient être surprenantes.

Chapitre 9

Jour de ski alpin entre filles, sans couvre-feu!

PENDANT QUE JE REMPLIS DE NOUVEAU NOS VERRES DE CE DÉLICIEUX pinot noir, la conversation entre nous s'anime de plus belle. C'est un jeudi soir particulièrement sympathique, et rien ne laisse deviner qu'un glacial moins quinze degrés Celsius au mercure sévit à l'extérieur. La chaleur du foyer aidant, l'ambiance est à la relaxation et à l'amitié. C'est tout de même surprenant, puisque je ne connais Diane que depuis peu. Peut-être y a-t-il un petit quelque chose de particulier dans l'eau du lac Saint-Jean, ou un virus dans l'air, qui fait que les natifs de la région sont des gens incroyables à côtoyer. Les liens se tissent presque comme par magie. Par conséquent, la communication s'établit franchement et clairement. Et aucune distinction n'est basée sur le portefeuille, ce qui est encore plus rafraîchissant! Il se passe le même phénomène avec les Beaucerons. C'est probablement la raison qui explique que j'ai passé autant d'années à y pratiquer la nutrition. En fait, il semble qu'ils aient une aptitude particulière à se montrer sous leur vrai jour. L'authenticité et la franchise sont marquées en grosses lettres sur leur front. Bon, j'admets que j'exagère un peu.

Il n'en reste pas moins que ces qualités sont exactement ce que je recherche chez un être humain, masculin en particulier! Un peu comme tout le monde en général, probablement. Étonnant, n'est-ce pas, d'en faire toute une histoire ? Peut-être pas. Si l'on tient pour acquis que nos expériences passées forgent notre personnalité, ma rupture amoureuse marque certainement un tournant. À elle seule, je crois qu'elle peut expliquer une grande part de la démarche que j'ai entreprise. En fait, je ne crois pas qu'on se lance dans une telle réflexion lorsqu'on a réussi à digérer tout ce qui nous est arrivé. J'en suis catégoriquement convaincue, si on prend le temps de s'arrêter, c'est que quelque chose ne passe pas. Mais je sens que j'avance dans la bonne direction parce que ma cible se précise de plus en plus. Graduellement, la situation s'éclaircit et je commence à entrevoir la problématique. Une haine viscérale pour tout ce qui ressemble au mensonge et à l'hypocrisie. La prise de conscience n'est que le début. Il faut persévérer et trouver les racines du mal, pour ensuite m'y attaquer, mais pas n'importe comment. Je dois le faire, mais surtout bien le faire. C'est essentiel, car mon but est de guérir. Et les blessures qui ne sont pas bien traitées laissent malheureusement des cicatrices. Et la pire de toutes, je veux l'anéantir. La frustration.

C'est donc l'un des nombreux sujets que nous abordons toutes les trois. Mon salon est le théâtre d'une mise en scène où trois femmes d'expérience racontent des bribes de leur vie mouvementée. Trois personnes positives qui évoquent leurs rêves et leurs projets d'avenir. Sans oublier le soin que nous apportons à partager nos différentes façons de voir la vie, tout simplement. Je ne peux qu'en remercier chaudement ma sœur, celle qui est à l'origine de cette passionnante rencontre. Diane fait partie de son cercle d'amis depuis belle lurette. Par surcroît, elle est une excellente skieuse et elle adore l'hiver. Passion qu'elle partage d'ailleurs avec ma sœur. Toutes deux ont donc développé au fil des ans une belle amitié.

Chaque bouleversement dans ma vie a été l'occasion pour ma petite sœur de garder un œil sur son aînée. Malgré la distance séparant Québec de Montréal, je peux sentir qu'elle n'est jamais plus loin qu'un simple appel téléphonique. Bien sûr, cela vaut dans les deux sens, l'instinct de protection s'est transmis génétiquement. D'autant plus que, dans ma famille, ce gène est particulièrement dominant. C'est une bénédiction d'avoir un entourage aussi prévenant, le défi étant, bien sûr, de bien doser toutes ces petites attentions. Honnêtement, ma sœur gère très bien les circonstances. Elle sait depuis longtemps que trop d'attention ne serait d'aucune utilité. En conséquence, la dimension de ma bulle est bien connue dans mon entourage. Et chacun sait qu'en traverser les limites correspond à s'exposer à une ruade ! D'ailleurs, il semble que, ces temps-ci, les étrangers aussi ont la chance de goûter à mes échappées.

La soirée avance mais nous ne ressentons aucune envie d'y mettre fin. Nous avons tellement de choses à dire, et à partager surtout. Il semble que chacune y trouve son compte et retrouve chez les autres une oreille attentive. D'abord, c'est toujours ainsi lorsque ma sœur et moi nous voyons. Diane est un ingrédient supplémentaire qui vient tout simplement s'amalgamer de façon homogène. La dynamique est celle que l'on retrouve chez les bonnes amies, sans prétention ni arrière-pensées. Les sujets sont nos préoccupations quotidiennes, mais aussi les points qui nous tracassent plus insidieusement. Ceux dont nous n'avons pas nécessairement envie de parler à n'importe qui. Ainsi, juste le fait d'évacuer certaines interrogations permet instantanément de ressentir une certaine sérénité. Voilà pourquoi ces rencontres de filles sont si bienfaisantes.

Durant la soirée, je répète sans arrêt à quel point je prends plaisir à ce moment que je partage avec elles. Je réalise pleinement qu'elles me manquaient, ces soirées de filles. Mais ce n'est pas tout. Le petit oiseau en moi a une envie folle de s'envoler, je peux presque sentir ses ailes battre. En fait, c'est mon cœur qui palpite. Une forme de renaissance, peut-être. Je présume que, encore une fois, la rupture a quelque chose à y voir. Je crois que, dans un souci de mettre toutes les chances du côté du couple et de m'assurer de faire tout en mon pouvoir pour qu'il perdure, j'ai fait une grave erreur. J'ai tout misé sur le même cheval. Et, malheureusement, il était perdant. En réalité, j'ai fait de cette union le centre de mon univers. Évidemment, je me suis retrouvée isolée et seule dans ma nouvelle réalité de célibataire. Les millions, par contre, ont contribué à atténuer le choc. Au fond, c'est bien vrai. L'argent ne fait pas le bonheur mais il adoucit tout de même le malheur. La transition a été beaucoup plus douce que si ma condition financière avait été précaire. Cette relation appartient maintenant au passé et les responsabilités de l'échec ont été justement réparties. Autrement dit, le dossier prend le chemin de la catégorie «incompatibilité de personnalité» et devient, par conséquent, une erreur à ne pas répéter. Et à ne pas ruminer.

Il se fait vraiment tard et les sujets de discussion ne manquent pas. Lorsque ma sœur a envisagé ce projet, tout s'est mis en place en un temps record. Son appel téléphonique a été le point de départ.

**

– Écoute, Jo, je sais que l'hiver n'est pas ta saison préférée, mais il faudrait peut-être que tu y mettes du tien, tu ne penses pas? me lance-t-elle, avec toute la diplomatie que je lui connais.

– C'est exactement ce que je fais, ma chère! J'ai les deux pieds devant le foyer et je profite de l'hiver! dis-je pour la sécuriser.

– Bon, ce n'est pas à ça que je m'attendais, mais c'est mieux que rien! répond-elle en riant de bon cœur, étant maintenant rassurée quant à mon état d'esprit.

– Non, sérieusement, je suis vraiment devant le foyer, mais j'ai entrepris d'étudier le Lac Champlain plus en détail. Tu sais, il y a des secteurs intéressants qu'on devrait visiter l'été prochain avec le voilier. Même si on doit naviguer quelques jours de plus, je crois que ça vaudrait la peine, lui expliqué-je, sentant déjà l'appel du vent.

– Bien, si tu veux, on pourrait en reparler dans quelques mois, moi, je ne suis pas encore rendue là. Et le reste de la province non plus ! As-tu remarqué qu'il y a de la belle neige dehors ? me demande-t-elle ironiquement.

– Oui, oui, mais tu te rappelles que j'ai fait une croix sur le ski de fond, temporairement ! dis-je, en ne tentant pas de cacher la pointe de culpabilité que l'on pouvait déceler dans le ton de ma réponse.

– Ouais, je sais, encore un gentil candidat qui a pris le bord ! Pourquoi est-ce que ça ne m'étonne pas de ma sœur ? me demande-t-elle en soupirant.

– Ce n'est pas ma faute, je te jure, c'est totalement incontrôlable. Quand je serai prête, ça va se replacer tout seul, c'est sûr ! ajouté-je, plus ou moins convaincue de ce que je venais d'affirmer.

– De toute façon, il n'y a rien qui presse. Tu n'as pas besoin d'un homme dans ta vie. On a les moyens de faire tout ce qu'on veut. Mais c'est ta vie à toi ! répète-t-elle pour la énième fois depuis ces derniers mois. Mais ce n'est pas pour ça que je t'appelle, j'ai une proposition à te faire. Ski alpin au mont Sainte-Anne, ça te tente ? se presse-t-elle d'ajouter, comme si elle craignait la réponse.

– Hé, ce n'est pas une mauvaise idée. On n'est pas encore allées cette année, lui dis-je.

– Tu te rappelles Diane ? Elle prendrait congé vendredi pour venir avec nous, ce serait génial ! lance-t-elle, anticipant déjà les pentes sous ses pieds.

– Et vous pourriez venir coucher à la maison jeudi soir ! Les enfants seraient contents, moi, je suis partante ! Tant qu'à faire du ski, il nous faudrait au moins une montagne digne de ce nom ! Bienvenue aux Montréalais ! dis-je à la blague, sachant très bien qu'une mordue de ski comme ma sœur préfère de loin les conditions de Québec.

C'est ainsi que s'est organisée cette journée des plus prometteuses.

**

Nous nous réveillons une heure plus tard que l'horaire prévu. Pas étonnant vu l'heure tardive du coucher. De plus, il avait été décidé la veille que le déjeuner se prendrait au restaurant, dans un endroit très convivial sur notre route, toujours dans le but de profiter au maximum de la journée. L'une des rares que j'ai eues depuis belle lurette.

Il fallait s'y attendre, une fois encore, les trois filles se retrouvent au même diapason, celui des discussions personnelles que nous prenons plaisir à décortiquer dans les moindres détails. La serveuse n'en finit plus de remplir nos tasses longtemps après que les assiettes sont vides. J'en oublie presque la raison pour laquelle nous sommes ici. Faire du ski ! Je n'ai absolument aucun remords à étirer ces moments de pure joie. Comme je le répète souvent à ma sœur lorsque nous skions ensemble, le nombre de descentes n'a pas d'importance, on ne paie pas le billet pour la quantité mais pour la qualité. De cette façon, j'arrive à la convaincre de s'arrêter une fois de plus pour un café au chalet. Et aujourd'hui en particulier, il n'est aucunement question que je mette un frein à l'aspect social pour gagner une ou deux descentes supplémentaires. Si cela ne relevait que de moi, on pourrait tout simplement s'asseoir au pub du centre et discuter tranquillement. Avec les skieurs en toile de fond ! Ma lucidité reprend le dessus lorsque ma sœur prend l'initiative de proposer de se rendre finalement à la montagne. Je l'admets, quelques sacrifices sont parfois nécessaires. Que la vie est dure !

Lorsque j'installe tout mon équipement de ski, j'ai l'habitude de siroter un petit café. Bien sûr, je pourrais le justifier en supposant qu'il me procure une bonne dose de chaleur avant d'affronter le froid mordant. Mais non, c'est un peu plus sournois. Je dois l'admettre pour la première fois, ce verre de carton plein de liquide représente pour moi une descente de moins dans la journée. Je sais, c'est très tordu. Je préfère le golf en été, je ne peux rien y faire ! Ma sœur semble me connaître beaucoup plus que je ne le croyais. C'est ce que j'en déduis, puisque j'ai droit à un « non » catégorique lorsque je propose d'aller nous chercher des cafés en nous préparant. Nous nous regardons en riant, et je lui lance un « Bon, d'accord » en admettant ma défaite. De toute façon, quelques descentes dans ces conditions magnifiques ne pourront que me faire du bien. À la seule condition que je protège bien mes précieux genoux... pour le golf !

Après deux descentes, je suis prête pour le lunch. Après tout, c'est une montagne d'envergure ! Dans le but très altruiste de ne pas restreindre mes copines, je leur propose de venir me rejoindre au chalet plus tard. C'est ainsi que, encore une fois, nous nous retrouvons avec un délicieux verre de vin à la main, devant un foyer qui met la table pour de beaux moments.

– Pas croyable ! Je ne sais pas ce que je donnerais pour avoir une montagne comme ça à côté de chez moi ! s'exclame ma sœur en enlevant ses bottes pour laisser ses pieds dégeler un peu.

– Bon alors, on aura une excuse pour venir plus souvent à Québec ! À moins que Joanne se trouve un copain et qu'elle n'ait plus de temps pour nous ! On sait à quel point ça peut changer une vie, un chum ! lance Diane en levant son verre pour porter un toast.

– Ah ! tu me parles de ça et je ne sais même pas si j'ai envie de me rembarquer dans cette galère ! Pire encore, est-ce qu'un jour j'en aurai la force ? dis-je, sachant très bien qu'en ce moment même, la réponse est non.

– Bien voyons ! Je ne peux pas croire qu'avec tous les hommes disponibles, il n'y en aura pas un seul à ton goût ! Laisse-toi un peu de temps et tu verras. Mais, au fond, je te comprendrais de ne plus vouloir investir de l'énergie dans une relation. Pour ce que ça rapporte en fin de compte ! ajoute Diane, avec ironie.

– Si tu nous en donnes le mandat, on peut te dénicher des candidats de qualité! Mais je ne suis pas sûre qu'on ait les mêmes goûts en amour! réplique ma sœur, avec un clin d'œil bourré de sous-entendus.

– Tu as raison, je vais me passer de ton aide! Mais je garde quand même ton offre en mémoire. En fait, je ne désespère pas de trouver la perle rare. C'est juste que je me demande si elle existe encore, après quarante ans! En plus, notre situation financière complique un peu les choses, expliqué-je, me sentant à l'aise puisque Diane connaît tout de notre relation avec Loto-Québec!

– Je crois que tu t'en fais trop pour ça. Maintenant, c'est chacun ses finances, point final. Si ça ne convient pas à monsieur, bye bye! ajoute Diane avec conviction, tout en prenant une bouchée de sa pizza.

– Bien, je vais finir par le croire à force de me le faire dire! J'ai déjà eu une discussion semblable avec des amies. Messieurs, attachez vos tuques, les femmes qui ont de l'argent arrivent! Et elles ne se laissent pas marcher sur les pieds, je vous le jure! blagué-je, tout en étirant mes pauvres jambes.

– Je suis convaincue qu'il y a des candidats intéressants, sauf que, dans ton état, tu ne les verrais même pas! Par exemple, j'aurais pensé à un de mes amis, c'est franchement un bon gars. Mon ami Martin, c'est une perle! Il est hors de question que je te le présente. Tu vas l'anéantir en te sauvant à la course! Je tiens à mes amis! lance ma sœur en riant aux larmes.

– Hé! c'est normal que j'agisse de façon étrange! Je suis en réflexion profonde et je ne veux pas précipiter les choses! J'observe autour de moi et je vous jure qu'il n'y a rien pour me rassurer! En plus, je commence à trouver que je suis vraiment bien. Aucun compte à rendre, c'est ça la vraie vie, non? leur demandé-je, plus ou moins convaincue de mes affirmations.

– Moi, je trouve que tu fais exactement ce qu'il faut! Tu attends le prince charmant et, pour passer le temps, tu voyages!

C'est la façon de faire de beaucoup de femmes autonomes, ajoute Diane, résumant ainsi toute la problématique de la situation.

– Non, mais, ça doit être encore possible de s'investir dans une relation de couple où les deux personnes peuvent s'épanouir sans brimer l'autre. La complicité, c'est génial aussi. Vivre avec quelqu'un en qui on peut avoir totalement confiance, qui est honnête et sincère, ça existe, non ? dis-je, en scrutant attentivement mes deux confidentes.

Elles s'immobilisent instantanément, se regardent en s'interrogeant, puis se retournent vers moi. J'en déduis qu'elles ont été déstabilisées puisque, pour toute réponse, ma sœur lance un « Bon, je crois qu'on devrait retourner skier ! » J'admets que mes prises de position peuvent sembler contradictoires à l'occasion. Mais cela fait partie de mon processus de réflexion. Rien ne vaut un brin de provocation pour connaître la véritable opinion de nos amis ! C'est très rafraîchissant. À la longue, réfléchir nous entraîne beaucoup trop vers des concepts abstraits. Une petite tape derrière la tête et hop ! on retombe sur la planète Terre ! Dans le cas présent, il semble que l'on veuille me dire : « Enlève tes lunettes roses, ma belle, la perle rare n'existe pas après quarante ans ! » Et, pour être certaines de me ramener à l'ordre, mes copines m'entraînent dans un milieu hostile et sibérien où je devrai rassembler toutes mes forces intérieures pour survivre. Pas le temps de rêver, c'est réussi.

Mon après-midi de ski se résume à deux descentes. Il semble que mon petit verre de vin ait fait son chemin jusqu'à mes jambes ! Aucune chance à prendre, je suis une fille qui prend la sécurité au sérieux. D'autant plus qu'un petit café m'attend au chalet, il est donc inutile de pousser la performance à son maximum. L'équilibre est ma religion : élargir ses horizons sans commettre d'excès. C'est ce que je répète depuis vingt ans, d'ailleurs. Mes clientes savent très bien ce que je veux dire. Encore une fois, notre attitude en regard de notre poids est très révélatrice de notre façon de voir la vie. Incroyable ! Même sur la montagne, la diététique me suit! En réalité, n'est-ce pas le point fort de la quarantaine? Le moment où l'on peut dresser le bilan de notre vécu et en faire un tout. Mettre en évidence toutes les leçons tirées du département «carrière», puis les expériences de la case «famille», sans oublier celles qui relèvent du thème «amour». Et en faire le meilleur dosage possible. En fin de compte, tout se rejoint. Alors, il ne serait pas étonnant qu'en fouillant la question davantage, je prenne soudainement conscience que les mêmes erreurs se répètent. Dans chacun des aspects de ma vie. Ouf! cela mérite définitivement un minimum d'attention. Il me semble que le rayon d'action de ma réflexion prend de l'expansion. Finalement, ces quelques mois sur la voie de service auront peut-être beaucoup plus d'impact que je ne le croyais au départ. Lorsque je reprendrai l'autoroute, je pourrai enfin prendre ma vitesse de croisière. La mienne, cette fois-ci.

Sur le chemin du retour, la fatigue se fait sentir. Ma sœur est au volant et je regarde le paysage défiler devant moi. J'adore rouler lorsque le soleil est couché, parce que tout me semble au ralenti. La foule s'est dispersée, la route nous appartient et un calme particulier tombe sur la ville. Mais c'est peut-être mon état d'esprit et non l'environnement qui est dans cet état. Peu importe, je n'ai pas envie de réfléchir, je n'ai pas la force de comprendre. Juste le moment présent, c'est tout ce qui est important.

Nous sommes en attente pour le traversier, il ne sera pas de retour avant une bonne quinzaine de minutes. Dans la voiture, une musique de circonstance. Un air qui nous transporte vers la relaxation après une longue journée, en plus d'avoir combattu le froid.

— Oh! j'ai un texto qui vient de rentrer, lance ma sœur en prenant son téléphone cellulaire.

— Eh bien moi, je n'en ai pas, dis-je, sur un ton qui laisse amplement voir une pointe de déception. Je prends conscience encore une fois que le cercle d'amis a rétréci avec la vie de couple.

– C'est vrai, Joanne, il faudrait que tu me donnes ton numéro de téléphone cellulaire, ajoute Diane confortablement installée sur le siège arrière.

Pendant que ma sœur répond à ses messages, je donne mes informations à Diane. Puis, nous retournons à nos pensées. Je peux voir le traversier qui approche lentement, tout illuminé, à travers les glaces du fleuve. Il libère sa vapeur blanche dans la nuit. J'ai presque l'impression qu'il respire, tout doucement. Mon téléphone me rappelle à la réalité. Un texto. C'est Diane. «Merci, Joanne, j'ai passé une magnifique journée!» Oui, vraiment, c'était une belle journée. Après quelques minutes, je suis encore ramenée à la réalité. Cette fois, c'est ma sœur qui reçoit un appel.

– Non, je ne serai pas arrivée pour le souper... Je sais, j'avais dit que j'y serais... On a eu du retard et je ne suis pas toute seule à décider... Bien, ça ne doit pas être si grave, on n'avait rien de prévu de toute façon... Oui, tu vas probablement être au lit quand je vais arriver parce que tu te lèves tôt demain... Bon. On en reparlera plus tard, d'accord?

Dans la pénombre de l'auto, baignée par le seul éclairage des instruments, un léger sourire prend forme sur mon visage. J'écoute mais d'une oreille distraite seulement. Parce que les paroles que j'entends me ramènent quelques mois en arrière. Le couvre-feu, les comptes à rendre... Je me rappelle l'autre vie, celle où j'étais devenue l'ombre de moi-même. Parce qu'un énorme nuage gris aux yeux bleus empêchait le soleil de se rendre jusqu'à moi. Les millions peuvent faire des miracles mais ils n'empêchent pas la pluie de tomber. Par contre, lorsque les rayons éblouissants se montrent enfin, ils n'ont pas leur pareil pour redonner à la vie toute sa chaleur. En réalité, le sourire, c'est celui d'une millionnaire célibataire qui, pour la première fois, savoure le bonheur d'être maître de son destin. C'était vraiment une belle journée.

Chapitre 10

Et le magasinage en ligne, ça marche?

RÉALISER PLEINEMENT, UNE FOIS DE PLUS, À QUEL POINT JE ME PLAIS dans ma situation de millionnaire célibataire n'enlève rien au fait que ma mission continue. Parce que c'est un peu de cette façon que je décris ma démarche d'observation. Le but ultime est, bien sûr, de me retrouver et de mettre le doigt sur ce que je veux exactement. Cette introspection, je l'espère, me permettra de savoir vraiment à quel genre d'existence j'aspire. Et avec quel type de compagnon je désire la partager. Je pourrais me lancer les yeux fermés à la recherche de l'âme sœur et constater par la suite les répercussions sur ma qualité de vie. Est-ce que mon sort s'en trouverait amélioré? Par «qualité de vie», je ne sous-entends pas que la millionnaire égoïste veut un petit toutou pour s'amuser lorsqu'elle se sent seule pour ensuite le ranger lorsqu'il dérange. J'admets que ce serait probablement la solution la plus simple et que plusieurs femmes autonomes financiè-rement l'ont adoptée. Soit par choix, soit par dépit à la suite de nombreuses tentatives infructueuses. Je ne suis pas prête à con-damner cette option. «Qui suis-je pour juger?» Mais surtout parce que cette voie sera peut-être la mienne au bout du compte.

J'en suis parfaitement consciente, il me reste encore beau-coup de chemin à parcourir. Mais c'est déjà positif. J'ai la certitude d'avoir fait de grands pas depuis l'inoubliable jour où le téléphone cellulaire de mon conjoint a révélé ce qu'il avait dans le ventre. Il y a certains jours où la réalité du gros lot n'apporte aucune différence. Gagnants à la loterie ou pas, il faut vivre avec les choix que nous avons faits. Comme je préfère aller de l'avant, j'arrive à voir dans l'adversité des avantages que mon entourage ne voit pas. Oui, ma séparation est une bénédiction! La réalité est que le jour fatidique de ma rupture est finalement l'un des plus beaux jours de ma vie parce qu'il est le début d'une brillante démarche personnelle qui me permettra de grandir et de me réaliser pleinement. J'en conviens, pour l'instant, ce ne sont que des suppositions et de beaux vœux pieux. Mais j'espère sincèrement que c'est ce que je dirai éventuellement. Quoi qu'il en soit, je prends les bons moyens pour y arriver. Enfin, je le crois. De toute façon, le temps me dira bien si j'avais raison. Si ce n'est pas le cas, je mettrai le cap sur un autre horizon et l'erreur prendra, elle aussi, le chemin du dossier de l'expérience.

Par contre, je dois admettre en toute humilité que mon périple intérieur n'a rien qui relève de la grande sagesse. Il le serait peut-être s'il supposait une certaine privation ou un effort digne de ce nom. Plus encore, un certain degré de renonciation à quelque chose qui me tient à cœur ajouterait beaucoup de lustre à l'exercice. Mais voilà le drame. Je ne me prive absolument de rien, parce qu'aucun aspect d'une relation de couple ne me manque pour l'instant. Rien du tout. Au contraire, lors de la rupture j'ai procédé à un ménage sans précédent. J'ai mis en tas tout ce qui ne servait plus depuis belle lurette et dont je ne voyais plus l'utilité. On se débarrasse de tout ce qui nous est nuisible. J'en ai rempli de pleins sacs verts. Direction les ordures. Et l'un de ces sacs contenait l'hypocrisie, le mensonge, la trahison, et j'en oublie. Évidemment, il faut comprendre que c'était tout ce que je retenais du couple à ce moment-là. Aujourd'hui, les sacs seraient moins pleins. Les qualités exceptionnelles que je viens d'énumérer ne me semblent plus aussi catégoriques! Est-il possible que la nuance ait fait subtilement son entrée dans mon nouvel univers de célibataire? Pour mon plus grand bonheur, d'ailleurs. C'est un signe indéniable que le recul commence à produire l'effet escompté, c'est-à-dire tempérer mes émotions pour voir la réalité sous un nouveau jour.

Cependant, il faut toujours garder en tête que cela ne garantit aucunement le bonheur, au bout du compte. Parce que, peu importe de quelle façon on la regarde, la réalité, elle, ne change pas. La seule certitude qui me tient à cœur est celle de regarder la vie devant moi avec des verres propres. Ni roses ni noirs. J'ai vaguement l'impression d'évoluer dans cette direction. Apprendre à vivre en solo est l'étape cruciale. Si mon ultime but était de me rapprocher rapidement de quelqu'un, je confirmerais tout simplement une malheureuse dépendance. Comme une drogue. Et ce serait la voie rapide vers la défaite totale. Terminé le moment pour soi. Ce serait la mise au rancart de la connaissance de ma petite personne ! Et l'impossibilité de choisir, de façon éclairée, les meilleures avenues possible. Retour vers la noirceur. Pour toutes ces raisons, je suis convaincue qu'en me recentrant sur mon petit univers personnel, je découvrirai tout ce dont j'ai besoin pour faire les bons choix. Ce sera exactement comme donner une paire de lunettes à un myope. Je ne connais pas de meilleure façon de lui permettre de voir un peu plus loin que le bout de son nez !

La réflexion, c'est excellent. Mais rien ne vaut l'expérience concrète pour voir le tableau de ce qui nous attend. Lorsque l'on se retrouve dans le domaine des célibataires, il se produit inévitablement un phénomène typiquement humain. D'autres célibataires se font un devoir de vous raconter leurs propres expériences. Sans même le demander explicitement, il est possible de se retrouver parmi un petit groupe d'amis qui meurent d'envie de vous mettre au parfum de votre avenir dans le milieu. Les effluves de cabernet sauvignon aidant, ces joyeux soupers prennent rapidement l'allure de séances d'information très réalistes. Les détails croustillants fusent de toutes parts, comme si l'un voulait absolument renchérir sur l'autre. Les rires et les exclamations du groupe agissent alors comme des encouragements à poursuivre de plus belle. Tant que la source n'est pas tarie, les histoires jaillissent, et rien ne semble pouvoir arrêter le flot. Personne ne veut y mettre un terme parce que nous voulons tout savoir ! Tout à fait passionnant. Ma curiosité commence à trouver certaines réponses. Mais aussitôt, de nouvelles questions surgissent. Puis l'incrédulité. Je suis convaincue qu'ils en rajoutent pour épater la galerie sans doute. Mais on me jure que c'est la réalité. Celle des sites de rencontre en ligne.

**

Il est près de vingt-deux heures trente. Le souper entre amis est une réussite et l'ambiance est à la fête. Plusieurs femmes et quelques hommes sont autour de la table. Quelques-uns sont en couples, d'autres sont célibataires. Mais l'âge minimum est quarante ans, comme si c'était un prérequis pour avoir le droit d'émettre une opinion personnelle sur les relations de couple. Certains de ces couples comptent plusieurs années de vie commune et semblent avoir trouvé la recette du bonheur. Par contre, d'autres convives accumulent encore les expériences de rencontres ratées. Loin de se décourager, ces candidats au bonheur sont lucides et continuent leurs recherches. Mais je peux sentir que le passé a laissé des marques. Jusqu'à un certain point, je me reconnais un peu. Après tout, moi aussi, j'ai une certaine expérience derrière moi. Sauf que eux l'ont souvent vécue en accéléré. Bien entendu, pour les adeptes de ces sites, lorsque les courriels s'accumulent, on ne peut pas s'étendre sur le sujet ! Mieux vaut procéder rapidement, ainsi le risque de s'attacher est inexistant. D'autant plus qu'une certaine expertise se développe avec le temps. Autrement dit, le processus devient de plus en plus facile et expéditif. Ce n'est même plus la peine de produire un effort pour se rappeler les noms. Je fais la même chose à l'épicerie. J'ai ma liste détaillée en main et je coche au fur et à mesure les articles que je trouve. Une fois arrivée à la caisse, j'évalue rapidement afin de décider si tout me convient, ou si je dois poursuivre au marché d'en face pour les éléments manquants. C'est tellement simple, surtout si j'ai pris la peine de dresser ma liste selon un ordre de priorité.

Je suis la dernière arrivée dans le groupe. Autrement dit, je suis ici parce que je connais bien l'une des convives. C'est souvent de cette façon que le cercle de nos connaissances s'agrandit. Je crois que l'on se donne un malin plaisir à me mettre au courant de ce qui m'attend si je m'aventure dans la jungle des rencontres par l'intermédiaire d'Internet. On veut tout m'apprendre, tout me dire. J'ai vaguement une impression de déjà-vu. J'ai en mémoire certaines bribes de conversation avec mes amies au golf. Des rencontres estivales mémorables ! Certaines ont été mes séances les plus formatrices, d'ailleurs. Si je me rappelle bien, pour mes copines, la question n'était pas de savoir si je voulais rencontrer quelqu'un. En fait, le nœud de la question était plutôt de déterminer si j'avais les moyens financiers de l'éviter. En fin de compte, on dirait que, dans le domaine des relations de couple, tout se recoupe. Seule la façon de procéder diffère. Soit que l'on se base sur notre bilan financier, soit que l'on met en valeur nos mensurations. Parce que dans le monde fantastique du virtuel, il semble que ce soit la priorité. C'est ce que je crois comprendre des anecdotes que les invités me racontent ce soir. De toute façon, quelle autre caractéristique d'une personne peut-on découvrir devant un café ? Je sais, mes autres compagnes diraient de vérifier au moins le modèle de la voiture. Et d'estimer la valeur des vêtements, cela va de soi.

Il est effectivement question d'une autre réalité ce soir. Et je m'amuse à la folie. Je les observe raconter les rencontres les plus insolites avec intérêt. J'en suis renversée. Il faut une sacrée dose de maturité pour réussir à parler de ces rencontres avec autant de dérision. Évidemment, mon seul point de comparaison est ma propre attitude. Je suis la fille qui en est encore à prendre du recul, à comprendre le pourquoi des choses et la finalité des événements qui se produisent dans ma petite vie. J'ai vraiment hâte de pouvoir en rire, moi aussi. Superbe leçon de vie. Ne jamais trop prendre au sérieux ce qui ne mérite pas de l'être. Mais qu'est-ce qui le mérite? Je suppose que cela viendra avec l'expérience, comme tout le reste.

— Écoute, Joanne, tu n'as pas idée des morons qui gravitent dans le virtuel! C'est incroyable! Combien de fois me suis-je surprise moi-même, parce que je croyais avoir déjà vu le fond du baril! Mais non! Il y avait encore des phénomènes qui réussissaient à dépasser les pires! lance Danielle au milieu des rires et des acquiescements des autres.

— Oh! raconte-lui la fois du Hobbit! dit Carl. Elle ne te croira même pas!

— C'est vrai! C'était tellement drôle! Il était gentil mais il ne concordait pas du tout avec son profil! Imagine, tu me vois, debout à côté de lui! Mais il essayait quand même et il en a mis des efforts, le pauvre. Pour moi, c'était réglé dès le début. Tu n'as pas le physique de l'emploi, chéri, même si le reste pouvait être passable. Ce n'est pas comme si on n'avait pas le choix. On passe à un autre appel. C'est tout! continue Danielle.

— C'est comme ça qu'on remet à leur place ceux qui mentent sur leur aspect physique, ajoute Carl.

— Mais comment vont-ils faire alors, ceux qui ne correspondent pas aux normes? Ils ne passeront jamais le premier filtre! Pourtant, il y a certainement de bonnes personnes dans le lot! Quelle philosophie se cache derrière ça? demandé-je, vraiment intriguée.

— Justement, il n'y en a pas de philosophie! Ne cherche pas pour rien! C'est juste du magasinage de profils. Et, avec le temps, on développe un genre de sixième sens pour décoder les petits malins. Mais souvent, on se trompe, et ça donne les situations qu'on te raconte! me répond Carl.

— Et les gens qui sont sérieux? Il y en a, c'est certain! dis-je, déterminée à comprendre davantage les dessous de ce monde virtuel.

– Eh bien, soit qu'ils se découragent après quelques rencontres catastrophiques, soit qu'ils persévèrent et risquent de frapper dans le mille! répond Danielle.

– Sans oublier tous ceux qui entrent dans l'arène avec toute la bonne volonté du monde. Souvent, ils vont se faire prendre par une belle gueule. Et là, il peut rester des blessures plus ou moins graves, ajoute Chantal, qui semble savoir exactement de quoi elle parle.

– Mais toi, Danielle, tu as rencontré Gilles sur un site de rencontre! Vous faites un très beau couple, et ça dure! lancé-je, puisque cette question me titille depuis le début.

– Je crois qu'il arrive de bons «matchs» à l'occasion! Ce n'est pas mauvais, les sites de rencontre. Il faut juste apprendre les règles rapidement. La majorité des visages que tu vois sont là pour la variété. Et comme plusieurs n'attendent pas trois rencontres pour passer au sexe, alors ils y voient un potentiel fou! Il est essentiel de détecter les petits vites! dit Charles, qui a d'ailleurs délaissé rapidement le zoo et rencontré sa conjointe de façon traditionnelle.

– Ce n'est pas le seul problème. Combien de fois j'ai rencontré des femmes sur ces sites qui n'ont fait que me parler de leurs ex-conjoints! Et elles se mettent à pleurer devant toi, je te le jure! Ça ne donne pas tellement le goût de la connaître davantage! Je leur disais qu'elles devraient peut-être régler leurs problèmes avant de passer à autre chose. Et je prenais mes jambes à mon cou! raconte Carl, en regardant tendrement son amoureuse. Un ami les a présentés l'un à l'autre, et la relation dure depuis plusieurs mois.

– Pour plusieurs, ces sites sont un processus de guérison, imagine ce que ça peut donner au point de vue de l'équilibre émotionnel! poursuit Danielle.

– Ah! si tu parles en plus du point de vue émotionnel, on n'a pas fini! Juste à penser aux dépendantes affectives! Alerte rouge, les amis! Je crois que c'est la première réalité qui nous saute en pleine face lors des premières rencontres, ajoute Stéphane en levant ses deux bras au ciel en guise de découragement.

– Oui, tu as raison! Ensuite, on se frappe le nez sur les contrôlantes! Tu n'as pas terminé ton café que, déjà, madame a pris en main ton agenda! On les repère facilement celles-là, parce qu'elles ont réponse à tout! Et ne prend même pas la peine de parler de tes loisirs, elles s'en foutent complètement! Si tu n'allumes pas très vite, elles vont t'aspirer dans leur existence et faire de toi un gentil petit toutou! renchérit Carl, en précisant qu'il avait fait l'expérience d'un piège semblable.

– Il y a aussi celles qui veulent te guérir! Elles te questionnent pour connaître toutes tes souffrances et, là, elles jubilent! Un éclopé à transformer! L'objectif est clair, devenir ton sauveur pour que, ensuite, tu ne puisses plus te passer d'elles! Mais le pire est qu'elles ne s'en rendent même pas compte tellement c'est ancré dans leur nature! Alors, ne crois pas que tu vas pouvoir leur en toucher un mot! Encore moins leur faire comprendre qu'en fait, tu allais plutôt bien... jusqu'à maintenant! dit Stéphane entre ses éclats de rire, en essuyant les larmes qui coulent le long de ses joues.

– Bon, les gars! ça suffit de se bidonner sur le dos de ces pauvres filles! N'oubliez pas une chose, au moins elles sont sincères. Elles ne sont pas conscientes de leurs petits défauts. Mais elles n'essaient pas d'embobiner le gars devant elles avec un paquet de faussetés. Juste pour les emmener au lit! ajoute Suzanne, exprimant ainsi une facette de sa personnalité plutôt bien développée. Celle qui est compatissante et empathique, faisant ainsi un contrepoids à tout ce qui a été exprimé jusqu'à maintenant.

En fait, elle m'enlève les mots de la bouche! J'allais moi-même émettre le commentaire lorsque ma mâchoire me le permettrait. Il y a longtemps que je n'ai pas ri à ce point. Je prends mon verre, mais je m'aperçois qu'il est vide. Déjà? Danielle n'a rien manqué de ma surprise et s'empresse de corriger le tir en remplissant cette malheureuse coupe vide. C'est comme ça depuis le début. Il n'y a rien d'étonnant à ce que les langues soient déliées à ce point. Elle me lance au passage : « Je t'avais dit qu'on en avait long à raconter, hein ! Il y a vraiment de quoi écrire un livre ! » Je suis tout à fait d'accord ! J'ai la chance d'avoir devant moi, à une même table, l'équivalent de je ne sais combien d'années d'expérience dans le domaine des rencontres en ligne. Une vraie petite mine d'or. D'autant plus qu'ils ont tout le recul voulu pour porter un jugement objectif. Peut-être pas complètement objectif, mais leurs avis personnels valent certainement la peine d'être entendus. Il ne me reste ensuite qu'à porter mon propre jugement sur le phénomène. C'est comme la vraie vie, au fond.

– Nous aussi, on en a vu de toutes les couleurs ! Des hommes contrôlants, on sait que ça existe, hein ! Par contre, ils sont plus difficiles à démasquer. On peut parfois les confondre avec les hommes très masculins. Les femmes aiment bien qu'un homme ait la capacité de prendre les choses en main. Sauf que, s'il s'attaque à notre propre mode de vie, là, c'est une autre histoire ! affirme Danielle, dans le but de mettre la discussion en contexte et de relativiser les affirmations.

– J'irais jusqu'à dire que tous les types de femmes dont on a parlé se retrouvent aussi en version masculine. C'est normal, ce sont des comportements humains, tout simplement ! dit Suzanne, faisant encore une fois ressortir ses qualités empathiques, fort utilisées en tant que consultante.

– Je suis tout à fait d'accord avec toi ! J'irais même plus loin. On ne peut pas demander à tout le monde d'être parfait. C'est impossible, on s'entend là-dessus ! Et tout le monde a le droit d'être heureux. Peut-être que la solution, c'est que chaque chemise trouve son pantalon assorti ! ajoute fièrement Stéphane, convaincu d'avoir réglé une importante problématique sociétale.

– Que c'est bien dit ! Je suis d'accord à cent pour cent ! Mais je crois toujours qu'il est très difficile d'évaluer certaines personnes et de juger de leur degré de sincérité. Il y aura toujours des imposteurs. Certains disent que c'est comme dans la société en général, mais je ne suis pas d'accord. Les sites de rencontre attirent les menteurs, c'est un fait, parce que c'est tellement facile ! renchérit Suzanne, d'un ton plus que convaincu.

Alors que je porte mon verre à mes lèvres, j'éprouve un petit malaise. Rien de dramatique. Juste un sentiment d'impuissance. Combien de femmes ont été prises malgré elles dans un engrenage malsain ? Un mariage – ou une relation – qu'elles croyaient définitif se termine soudainement en queue de poisson. Peu importe la raison. Les symptômes sont les mêmes, de toute façon. Évidemment, elles se retrouvent avec un énorme manque affectif, une grande place à combler. Ensuite, elles visitent, bien malgré elles, les affres de la douleur émotive et elles ont très mal. Avec un peu de temps et les encouragements des proches, elles reprennent vie lentement. Tout doucement, le soleil recommence à paraître et réchauffe leur cœur blessé. Elles rassemblent alors toutes les forces qu'elles ont réussi à épargner durant les jours sombres. Elles veulent croire que l'avenir leur réserve encore de beaux moments pour profiter des joies de l'amour. Et que, cette fois, ce sera la bonne. Souvent, elles ont fait l'exercice de se remettre en question. Parfois, elles arrivent à la conclusion qu'elles ont échoué à rendre leur homme heureux. C'est leur faute, seulement leur faute. Elles recommencent alors à marcher péniblement et elles vont de l'avant. Mais quelles sont les options qui s'offrent à elles ? Elles n'ont pas le goût de réchauffer les bancs des bars. D'ailleurs, leur image est en piètre état. Alors, peut-être que derrière un ordinateur elles réussiront à cacher qu'elles n'ont plus confiance en elles. Peut-être pourront-elles dégager un peu d'assurance et montrer l'image d'une femme qui mérite un peu d'attention. Sur le lot, un homme remarquera sûrement leur potentiel. La vie ne peut pas être injuste deux fois de suite, croient-elles. Alors, elles prennent leur courage à deux mains et montent leur profil en ligne en se disant que, cette fois-ci, elles feront tout en leur pouvoir pour rendre heureux l'homme qui entrera dans leur vie. Tout, absolument tout. Elles sont prêtes à changer tout ce qu'il n'aime pas d'elles. C'est terminé, elles ne s'appartiennent plus. Au nom d'un peu d'affection, d'un peu d'amour et d'attention. Puis, lors d'un souper bien arrosé entre amis, elles prennent la direction de la longue colonne des dépendantes affectives, dans le grand tableau des éclopées de l'amour.

Est-ce qu'un billet de loterie gagnant adoucirait un tant soit peu la chute vertigineuse? Mon expérience me dit que non. J'aimerais croire que oui mais la réalité est tout autre. Tout ce qui relève du domaine émotif ne peut être comblé par le portefeuille. Ce sont deux mondes complètement différents. Pas de vases communicants entre les millions et les sentiments. C'est d'ailleurs la raison pour laquelle le billet gagnant à la loterie n'est pas accompagné d'une garantie de bonheur. Les exemples ne manquent pas. Et c'est aussi la raison pour laquelle je ne suis pas dispensée d'une réflexion profonde après une rupture. C'est la loi de la vie. Et elle s'applique à tout le monde, aucune exemption personnelle.

Tout le monde s'amuse et la bonne humeur est de la partie. J'estime que j'ai beaucoup de chance d'être entourée de gens qui ont une pareille joie de vivre. Mais je connais leur petite histoire, en partie du moins. Et je sais que chacun d'eux a connu sa part de noirceur dans la recherche de l'âme sœur. Bien entendu, la pénombre n'est pas la même pour tous. Certains ont la chance qu'une discrète lueur les accompagne en tout temps, même dans la recherche de l'être cher. Ainsi, ils réussissent à éviter les pires pièges étalés sur le chemin des rencontres romantiques. Et surtout, toutes les années gaspillées à tenter de récupérer la vie d'avant, celle des jours plus heureux. Même si l'on sait très bien qu'il est impossible de la rattraper, parce que ce ne sera plus jamais la même chose.

Cette petite veilleuse qui nous suit, on ne la voit pas toujours. Parfois, il nous arrive même de nier qu'elle existe, on ne veut pas la voir, parce qu'elle nous indique une voie à suivre.

Cependant, ce n'est pas celle que l'on a choisie. Alors, autant l'ignorer. Nous questionner sur nos choix signifie une remise en question. C'est extrêmement compromettant d'admettre une erreur. Mais par quoi est-elle alimentée, cette lueur? Je n'en sais absolument rien. Les millions? Certainement pas! Notre vécu, nos expériences, heureuses comme malheureuses. Celles de notre entourage. L'amour de nos proches. Et peut-être un peu d'intuition... juste un peu. J'aimerais croire que c'est aussi simple. Ça l'est peut-être. Alors, je devrais la voir, cette lueur, n'est-ce pas le but de toute ma démarche? Mais auparavant, il faudrait peut-être que j'enlève ce grand voile que j'ai devant les yeux. J'y verrais beaucoup plus clair. Il est tellement difficile à retirer. Mais qu'est-ce que c'est? Ah oui! c'est vrai! La peur de l'avenir...

Chapitre 11

Les rencontres arrangées sur les verts... par des inconnues!

$\mathcal{V}$OILÀ QUI EST FAIT. AU MOINS, UNE POSSIBILITÉ EST DÉFINITIVEMENT éliminée. Alors, on ne verra pas le profil de Joanne Simon sur les sites de rencontre! Le souper avec mes amis m'a convaincue. Honnêtement, je dois avouer qu'au départ j'avais déjà un préjugé défavorable relativement à cette technique d'approche. Mais comme tout le monde, je connais des gens pour qui les résultats sont probants. Et c'est tant mieux. Je crois que la réticence à les utiliser diminue à mesure que le désir de rencontrer des candidats se fait pressant. Autrement dit, mon opinion actuelle pourrait éventuellement changer avec le temps.

Mais il y a autre chose, et ce n'est pas négligeable. Les millions viennent changer la donne et rendent l'exercice beaucoup plus périlleux. De façon générale, on s'entend pour dire que derrière une grande partie des profils se cachent des requins assoiffés de chair! Des gens qui n'ont absolument rien à faire de l'aspect sentimental de la chose. Les valeurs comme l'honnêteté et la franchise ne font pas le poids si on les compare à la couleur des yeux, les mensurations et les loisirs préférés. Bien sûr, je sais que des pépites d'or sont disséminées à travers les cailloux. Cependant, au point où j'en suis actuellement, je n'ai ni l'envie ni l'énergie nécessaire pour prospecter le fond de la rivière. Mais je peux très bien comprendre que d'autres prennent cette direction. Que chacun trouve son chemin. D'autant plus que je porte fièrement ma condition de célibataire comme un trophée! Ma récompense pour avoir affronté et vaincu les jours sombres d'un couple en ruine. Après avoir déployé autant d'énergie, je sens que la machine a besoin de refaire le plein. Et cela nécessite un minimum d'espace vital. Aucune urgence à le remplir!

Lorsque le signe de dollar entre en jeu, la partie se complique. L'intérêt de l'autre devient un élément supplémentaire à analyser. Il n'en faut pas plus pour brouiller totalement les cartes! En tant que nouvelle membre du groupe des célibataires millionnaires, je fais maintenant partie de celles qui doivent s'armer de vigilance contre tout profiteur virtuel. Ainsi, la question suivante doit toujours flotter dans mon esprit lors d'une rencontre potentielle: «L'intérêt de ce monsieur sera-t-il pour moi ou pour mon portefeuille?» Parfois, j'ai envie de croire que les gens ne sont pas comme ça, que je donne beaucoup trop d'importance à l'argent. Cette pensée m'effleure l'esprit parce que, justement, je n'ai jamais connu de problèmes sérieux. En fait, ma famille a été épargnée par les abus. Est-ce que c'est la chance tout simplement ou notre attitude fait-elle une différence? Difficile à évaluer. Par contre, je suis convaincue que c'est en donnant sans retenue que l'on attire les vautours. Et révéler ses petits secrets comporte des risques, donc il vaut mieux cacher l'existence du billet gagnant! Mes années d'expérience dans le monde des millionnaires de la loterie me dictent une règle à suivre: éviter à tout prix les cadeaux démesurés prématurément. Dans la vie en général, comme dans le domaine sentimental.

En théorie, c'est très simple. Dans les faits, c'est plus compliqué. Il faut une bonne dose de confiance en soi pour résister à la tentation «d'acheter» les gens. Et seuls ceux qui ont une bonne estime d'eux-mêmes réussiront à séparer l'argent des relations personnelles. Par conséquent, une femme riche qui n'a pas confiance en elle aura tendance à donner la lune au nouveau candidat. Surtout si elle a essuyé quelques échecs auparavant, l'envie sera irrésistible. La suite est facile à deviner. Cependant, en adoptant une attitude équilibrée, où l'argent ne fait pas partie de l'équation, elle risque de voir la vraie nature de l'autre. Cela suppose d'accepter les différences de personnalités et de renoncer à poursuivre une relation qui est vouée à l'échec. C'est la seule façon de sortir indemne de l'arène! En plongée sousmarine, c'est connu, tout ce qui brille attire les requins. Eh bien, le même phénomène existe sur les sites de rencontre!

Après un hiver entier à réfléchir aux tenants et aboutissants de ma situation, l'été arrive comme un grand soulagement. Je constate que mon analyse progresse. C'est indéniable. Le recul que je prends depuis plusieurs mois me permet de voir les choses autrement. Observer la façon de penser des autres me fait un bien énorme. C'est ce qui me permet de me situer dans ce nouveau contexte. Je prends graduellement ma place dans le tableau. Au lieu du blanc et du noir, se mélangent maintenant différentes nuances. Le portrait prend une tout autre allure. Honnêtement, j'aime bien le résultat. Cela ne m'épargne pas les sautes d'humeur occasionnelles, mais elles n'ont rien à voir avec le sujet! Je me sens sereine, en pleine possession de mes moyens et confiante. Mon état d'esprit est celui d'une femme ouverte et disponible. Prête à s'épanouir devant l'inconnu.

Mais il y a encore un point délicat, et il n'est pas négligeable. Toute cette description de ma forme mentale est intéressante. C'est même réjouissant puisque, après des moments difficiles, tout le monde aspire à reprendre un certain équilibre. C'était mon objectif au départ, je devrais être satisfaite, voire même emballée de cette réussite personnelle. Je faisais face à un énorme défi, et voilà que je l'ai relevé de main de maître. Et, ma foi, sans trop de difficulté. J'ai surmonté tous les obstacles qui se dressaient devant mon désir de reprendre le contrôle de ma vie. Mission accomplie! Je suis bien dans ma peau et je n'ai plus aucune séquelle de ma rupture. Et le chapitre devrait se terminer ici!

Ouverte et disponible? Est-ce vraiment ce que j'ai écrit? On semble toucher le nœud du problème ici! En fait, ce n'est pas faux, j'en conviens. Je me sens bel et bien dans cet état. Mais pourquoi alors cela ne se traduit-il pas sur le terrain? Je crois que je souffre d'un mal très rare. On dirait qu'une connexion est manquante entre l'émotion et la raison. J'essaie de comprendre le phénomène, mais je ne peux l'expliquer encore. Il y a certainement un élément aberrant chez moi. Et il doit se situer entre le cerveau et le reste du corps. Il le faut, c'est manifestement l'essentiel du problème. Sinon, comment justifier que mes gestes s'opposent carrément à mes pensées? Quoi d'autre peut expliquer que je sois aussi fermée à tout rapprochement? Il n'y a rien à faire, c'est plus fort que moi. Si je décèle la moindre intention suspecte chez un candidat, c'en est terminé. Je suis déjà partie!

Cette aberration semble vouloir se répéter à l'infini, comme un bogue informatique. Le joueur au golf virtuel en sait quelque chose, d'ailleurs. Sans oublier le skieur de fond, j'en ai encore des remords! Mais cette situation, que je croyais être accidentelle à cette époque, me semble maintenant systématique. Et là, ça me cause un problème! Parce qu'au moment où je me crois guérie de toute blessure, voilà qu'un pan du château de cartes s'écroule et laisse un trou béant. S'il suffisait de replacer les cartes, tout irait pour le mieux. Mais quelle serait l'utilité de le rafistoler? Pour le voir tomber en ruines de nouveau? Tout n'est pas perdu. J'ai au moins la lucidité d'admettre qu'il se produit un phénomène étrange. Quant à l'explication, j'ai encore du temps pour la trouver. J'ai beau chercher et réfléchir à ce que pourrait être la cause de cette contradiction, c'est la noirceur totale.

Ainsi, je n'ai rien de mieux à faire que de poursuivre dans la même direction. Je suppose que le temps continuera d'être mon meilleur allié et qu'il m'apportera les réponses. Quoi qu'il en soit, c'est une ressource que je possède en quantité. Je le dois en grande partie à la loterie. C'est un effet collatéral incroyable! Je me suis retrouvée du jour au lendemain maître de mon horaire. Bon, d'accord, les enfants sont toujours les vrais grands manitous de notre temps. Cependant, il arrive un moment où l'autonomie fait partie des apprentissages à leur communiquer. Les mères doivent saisir la balle au bond et rendre cet immense service à leur progéniture ! Par la suite, elles retrouvent ainsi une certaine liberté. Encore faut-il savoir l'exploiter. Il n'y a rien de pire que d'utiliser ses moments libres à mauvais escient. Quel gaspillage ! Il faut en avoir manqué pour autant les apprécier !

Tous ces bouleversements sont survenus à la même époque. Le gain à la loterie, les enfants à l'âge de l'adolescence et un allègement substantiel de mes heures de travail. En fait, quelques heures par semaine me suffisaient pour servir adéquatement ma clientèle. C'est de cette façon que l'on transforme un emploi en loisir ! J'ai dû rapidement développer une stratégie pour utiliser toutes ces heures libres à mon agenda. L'une des options possibles aurait été d'investir, d'acquérir une entreprise. Pour être bien certaine de balayer complètement tout moment de loisir de mon horaire ! Cette situation ne me souriait pas beaucoup. En fait, j'ai déjà affirmé que nos expériences passées forgent notre façon de penser aujourd'hui. Ce serait logique. Après avoir vécu plusieurs années à élever mes enfants seule, en joignant les deux bouts avec deux emplois, m'arrêter pour reprendre mon souffle me semblait une bonne idée. Chacun fait ses choix, l'important est de bien les assumer.

Mais qui a dit que c'était facile ? Cela semble anodin, mais ceux qui ont brusquement ralenti leur rythme savent de quoi il est question. Vivre à un train d'enfer pour se voir ralentir du jour au lendemain, c'est la tempête parfaite. Les pires conditions risquent de s'abattre soudainement sur votre existence. Le sentiment d'inutilité d'abord, puis la culpabilité et l'incertitude. Les intensités peuvent varier mais il faut y être préparé. Ce qui est rarement le cas, d'ailleurs. Certains n'en guérissent pas et ils replongent rapidement dans le premier emploi disponible. Je fais partie des chanceuses, parce que je m'en suis sortie sans trop de séquelles ! J'ai persévéré et j'ai accepté ma nouvelle réalité ! De toute façon, j'aurais sans doute éprouvé un certain malaise à me plaindre de trop de liberté! Cela aurait été plutôt mal vu, venant de quelqu'un qui a reçu de l'argent du ciel! J'ai donc pris mes responsabilités et affronté les difficiles choix qui s'offraient à moi. Après une évaluation exhaustive des multiples façons d'occuper mes précieux temps libres, j'ai enfin pris ma décision.

Une activité qui consiste à se promener dans la nature en discutant de la pluie et du beau temps, avec le chant des oiseaux en toile de fond. Et ce, tout en socialisant avec des gens charmants, dans un environnement des plus calmes. Il suffit de frapper de temps à autre sur une petite balle blanche. Aucune autre occupation ne permet de passer son temps en se donnant le sentiment d'être vraiment utile à la société. C'était exactement ce que je cherchais. Le golf était la solution. Alors, je m'y suis mise sérieusement, parce que, avant le gain à la loterie, je pratiquais déjà ce sport. La vision que j'en avais était diamétralement opposée. Trou sans fond où les dollars pouvaient disparaître, la vigilance était de mise. Et l'utilisation phénoménale d'heures demandait une organisation serrée pour compenser. C'est fou ce que notre vision des choses peut changer; il suffit d'un petit bout de papier avec des chiffres. Mais le destin a fait en sorte que ce soient les bons. C'est tout ce qu'il a fallu pour que le golf fasse son entrée dans mon univers, par la grande porte, cette fois. Depuis ce temps, j'en ai frappé des balles. Et les verts ont vu défiler toutes mes humeurs. Les hauts et les bas de mon quotidien.

À la suite de la rupture, mon sac de golf est devenu un fidèle compagnon. Celui qui ne me fait jamais défaut. Toujours bien mis et à sa place. Disponible dès que j'en ressens le besoin. Il ne demande absolument rien, sauf un minimum d'entretien et il correspond totalement à mes goûts personnels. Ce n'est pas étonnant, j'ai pris grand soin de bien le choisir. Sinon, j'aurais eu à vivre avec mon erreur et j'aurais dû l'assumer pleinement. Dans la vie, on peut se tromper, mais pas au golf!

Avec une nouvelle saison estivale qui débute, et ma réflexion encore inachevée, le moment est bien choisi pour retrouver les verts. Les longs mois d'hiver se sont très bien passés. J'ai discuté, écouté, évalué et observé autour de moi. J'ai aussi rabroué des candidats. Je sens que le temps est maintenant venu de laisser tout cela décanter pendant une période indéterminée. Encore une fois, rien ne presse. J'ai l'intention de profiter pleinement des beaux jours, et ce n'est pas un caprice. Je ressens réellement le besoin d'alléger mes pensées. Un trop-plein d'émotions demande à être évacué. Je suis convaincue que cela laissera place à des idées plus rafraîchissantes. C'est la meilleure façon d'arriver à voir la situation sous un jour nouveau. En fait, j'ai une envie folle de me concentrer sur mon jeu. J'aimerais diriger mon attention sur autre chose que mes états d'âme, une activité moins abstraite. Un élan de golf est ce qu'il y a de mieux pour monopoliser une grande partie de mon intérêt. Et il n'y a rien de plus concret! Il suffit de perdre de longues minutes à chercher une balle dans les bois pour le réaliser. Sans compter les dommages causés à mon amour-propre plutôt chatouilleux.

C'est toujours plaisant de revoir les amis du club. Les plus assidus ont déjà entrepris leur saison alors que la neige avait à peine disparu. Je les comprends puisque j'ai la même maladie chronique. Les conditions sur le terrain sont exécrables. Les verts ont l'air de zones sinistrées. Le vent, encore froid et mordant, foudroie les arbres... et le handicap! Pas étonnant que l'on entende à répétition: «Bof! il ne faut pas jouer pour le pointage, mais juste pour le plaisir!» Je suis tout à fait d'accord. En partant du principe que le plaisir est relatif. Autrement dit, il faut exclure les conditions météo de l'équation! Les retardataires, quant à eux, préfèrent laisser le temps à l'atmosphère de se réchauffer. Ils ont une notion différente du plaisir. Peu importe le froid, ma saison est bien enclenchée, quelques parties se jouent entre membres et amis. Mais je ne me limite pas aux disponibilités des autres. Mon élan est très satisfaisant, et j'ai suffisamment confiance en moi pour affronter le parcours avec des inconnus. C'est le signe évident que mon cheminement personnel va bon train!

– Salut, Louis! Je n'ai pas réservé de départ, as-tu une place pour moi? Je vois qu'il y a pas mal de monde aujourd'hui, je peux aller prendre un café en attendant, demandé-je discrètement, pendant qu'il est entouré de clients.

– Justement, j'ai un groupe de trois joueurs qui part dans dix minutes. Il y a deux femmes, veux-tu te joindre à eux? répond-il pendant qu'un client effectue sa transaction.

– Oh! super! Pas de problème, je vais les rejoindre tout de suite! J'ai déjà beaucoup de chance d'avoir un départ avec une cohue pareille! Merci, on se reparle plus tard, dis-je en quittant la boutique d'un pas déterminé.

– Bonne partie! Tu m'en donnes des nouvelles, hein! ajoute-t-il avec un clin d'œil.

Je sens que la journée sera parfaite. C'est toujours comme cela lorsque le soleil est de la partie. Mon attitude est positive, quoi qu'il arrive! Si j'ai la chaleur de mon côté, je suis à l'épreuve de tout. Le moral gonflé à bloc, l'énergie déborde et je suis prête à affronter tout ce qui peut se mettre en travers de mon chemin vers mes petits bonheurs. Je salue les autres membres au passage, tout le monde rayonne. C'est ça, un golfeur. On lui donne un terrain, des bâtons et une balle. Il a tout ce qu'il lui faut pour être heureux. Si la vie pouvait toujours être aussi simple! Certains disent qu'il suffit de le vouloir suffisamment fort et notre existence va prendre la direction qu'on lui donne. Nous sommes maîtres de notre destin. C'est incroyable! On dirait que je martèle cette phrase sans cesse dans mon esprit. Peut-être pour essayer de m'en convaincre. Parce que je n'y crois pas du tout. Surtout lorsqu'elle est formulée de cette façon. Ma grande sagesse et ma longue expérience de vie m'ont amenée à développer ma propre maxime: «Avale ta pilule et fais tout ce que tu peux pour avancer.»

La partie va bon train. Le hasard a fait en sorte que je me retrouve dans un groupe formidable. L'homme qui nous accompagne est du genre discret, il semble très concentré sur son jeu.

À moins qu'il ne trouve intimidant de se retrouver avec trois femmes! Peu importe, de toute façon, tout golfeur se doit de respecter l'état d'esprit des autres joueurs. Certains aiment bien discuter de tout et de rien pendant les temps d'attente. Par contre, d'autres en profitent pour retrouver un peu de calme et faire le vide. En fait, je remarque à peine notre compagnon. Les deux dames sont particulièrement dynamiques. Je crois que c'est le terme approprié pour décrire les gens qui prennent beaucoup de place! Ce sont des femmes tout simplement adorables. Elles sont amies depuis longtemps. Excellentes joueuses de golf et particulièrement en forme, c'est un vrai plaisir de les voir jouer. D'autant plus qu'elles semblent vouloir me prendre sous leur aile. Mais je dois certainement me méprendre. C'est probablement leur manière d'être sociable qui est différente de ce que j'ai l'habitude de voir.

Je sens que quelque chose se trame, mais je n'arrive pas à mettre le doigt dessus. J'oublie rapidement cette impression, parce que mon jeu est particulièrement précis. C'est ce qui retient toute mon attention. Il semble que cela attire aussi celle de mes nouvelles amies. Les compliments fusent de toutes parts, elles soulignent avec intérêt ma technique. Et ce qui m'étonne davantage est de constater qu'elles tiennent l'évolution de mon pointage! Toutes les deux affichent la même attitude, le même empressement à mon égard. Il est facile de comprendre qu'une grande amitié lie ces deux femmes d'âge mûr. Avec un comportement semblable, maintenir une relation saine est un jeu d'enfant. Elles démontrent une telle sincérité que cela en est désarmant. À moins que je sois complètement aveugle et que quelque chose m'échappe.

À mesure que nous avançons sur le parcours, les marques de gentillesse prennent de plus en plus d'importance. Elles semblent même se diriger vers le domaine personnel. Ces femmes me racontent leurs histoires. Toutes deux sont mariées à des joueurs de golf. L'une est agente dans le domaine immobilier, l'autre est cadre dans un ministère fédéral. Elles s'informent de ma situation et me demandent si mon conjoint joue aussi au golf. Dès que je leur confirme que je ne suis pas en couple, la machine s'emballe. Et le golf devient totalement accessoire !

– Tu es vraiment une chic fille, Joanne ! En plus, une joueuse de golf impressionnante ! On t'aime bien, je suis certaine qu'on s'entendrait à merveille ! Il faut absolument qu'on développe cette amitié, me dit l'une d'elles, en mettant son bras autour de mon épaule en guise de rapprochement.

– C'est vraiment un plaisir de jouer avec vous deux ! Mais, honnêtement, votre jeu n'a absolument rien à envier au mien. Moi, je joue ici régulièrement, c'est vrai que ce serait intéressant de refaire quelques parties ensemble cet été ! que je lui réponds, convaincue d'avoir déniché des joueuses de talent à observer.

– Écoute, il faut qu'on te le dise, et rapidement parce que la partie s'achève et on ne veut pas manquer notre coup ! On croit qu'on a déniché la perle rare ! Et c'est toi ! lance l'autre avec empressement, totalement ignorante de l'effet de cette bombe sur moi !

De quoi est-il question au juste ? Oh là ! un peu de lumière, s'il vous plaît ! Est-ce que je dois vraiment répondre à cela ?

– Je sais que tout ça va te paraître précipité et que c'est beaucoup en même temps, mais crois-moi, on est certaines de notre affaire ! poursuit-elle, en plaçant cette fois ses deux mains sur mes épaules.

– Hum ! est tout ce que je réussis à prononcer. Le reste est bloqué dans mon cerveau et ne passe pas la frontière du langage. Toutes les images tournent rapidement dans ma tête.

Est-ce qu'on me propose un trio amoureux féminin ? Oh mon Dieu ! J'ai mal compris ! Un détail m'a certainement échappé, et je suis en train de me méprendre complètement !

– Voici le contexte. Nous sommes trois couples de très grands amis…, commence-t-elle.

Il n'en faut pas plus pour que je comprenne que, oui, effectivement je m'étais trompée. C'est tellement mieux, on me parle d'échangisme. *Super! où est la sortie!* De toutes les options possibles, je n'aurais même pas imaginé celle-là.

— Nous faisons tout ensemble! C'est vraiment génial! poursuit-elle, pendant que je rassemble mes forces pour me sortir élégamment de cette grotesque situation.

— Mais l'autre couple s'est séparé l'an passé. Donc, notre ami est célibataire et il ne semble s'intéresser à personne. D'ailleurs, il n'a aucune envie de se mettre à draguer les femmes. Il est cadre au gouvernement, c'est un emploi très exigeant, mais il est sur le point de prendre sa retraite. Et là, on tombe sur toi! Tu es une fille brillante, intelligente et instruite. Tu as très belle allure et, en plus, excellente joueuse de golf! Vous êtes faits pour être ensemble, on en est convaincues toutes les deux! Il faut absolument qu'on vous mette en contact, c'est un «match» parfait! lance-t-elle, presque à bout de souffle.

— Hum! dis-je, sous le choc, envahie par un soudain mal de tête épouvantable.

— Fais-nous confiance, c'est certain que tu vas l'aimer. Il est calme, très intelligent, de belle apparence physique. Une personnalité tellement facile à vivre! Et, bien sûr, excellent joueur de golf! Il faut absolument que tu fasses sa connaissance! Alors, s'il te plaît, accepte mon invitation à souper samedi prochain, on y sera tous! termine-t-elle, assurée d'avoir plaidé sa cause de façon convaincante.

Je suis certaine que même un trou d'un coup ne me ferait pas vivre des émotions semblables! Nous nous quittons après avoir échangé nos numéros de téléphone. J'ai promis de les rappeler le lendemain pour confirmer ma présence au souper de samedi. Vingt-quatre heures pour donner une réponse. Normalement, cette situation m'apparaîtrait complètement insolite. Mais j'avoue qu'après avoir imaginé que l'on m'invitait à une expérience homosexuelle à trois, puis à participer à une partie de jambes en l'air avec un groupe d'échangistes, une simple invitation à souper me semble bien inoffensive! Un «blind date» organisé sur les verts est une première pour moi. Ces dames sont très aimables. Eh oui, je suis convaincue que je n'aurais aucune difficulté à m'intégrer à leur groupe. Des fous du golf, comme moi. Qu'est-ce que je peux demander de plus? Elles m'ont décrit en détail la personnalité du candidat. Honnêtement, il m'a l'air d'être une bonne personne, quelqu'un qui vaut sûrement la peine d'être connu. D'autant plus que la recherche de l'âme sœur n'est pas son occupation principale. On est loin des sites de rencontre. Je l'admets, il gagne des points! Le fait qu'il semble craintif de la gent féminine me fait croire qu'on a dû lui dire, à lui aussi, que les requins sont attirés par tout ce qui brille. Certaines femmes mettent en tête de liste «carrière brillante». Parce que, en petits caractères est inscrit «situation financière enviable». C'est clair, nous avons beaucoup en commun.

Après avoir réfléchi, je prends mon téléphone cellulaire. Je regarde le numéro qui est déjà inscrit dans ma liste de contacts. Tout est en place pour un tournant majeur. Un nouveau groupe d'amis, une nouvelle relation sentimentale. Un homme à l'aise financièrement qui n'en voudrait pas seulement au portefeuille. Un incontournable pour une célibataire millionnaire. L'opportunité dont rêvent beaucoup de femmes dans une situation précaire. Sans oublier une passion commune pour mon sport préféré. Probablement des voyages. Et beaucoup de plaisir à découvrir de nouveaux terrains de golf. Une belle vie s'offre à moi, il suffit de faire le premier pas vers l'aventure. De prendre le train qui passe. Il s'arrête tout spécialement pour m'embarquer. Parfois, on se dit que des occasions comme celle-là ne se présentent pas à répétition. Et qu'une fois qu'on les a ratées, il est trop tard.

– Allô! Je te rappelle au sujet du souper de samedi soir. En fait, ce ne sera pas possible, mais je vous remercie beaucoup. J'ai vraiment apprécié la partie qu'on a jouée ensemble. Alors, on se reverra peut-être sur un terrain quelque part! Remercie aussi ton amie pour moi! Au revoir!

J'en suis convaincue, ce n'était pas mon train.

Chapitre 12

Les candidats se bousculent
sur les quais de la marina

L'ÉTÉ SE POURSUIT, ET MES HABITUDES AUSSI. TANT MES ACTIVITÉS favorites que mes réflexes de fuite. Je suis d'ailleurs très à l'aise avec les deux situations. Autrement dit, il n'y a aucune urgence à comprendre mes réactions. Mon meilleur ami, le temps, s'occupe de tout. Il est mon fidèle allié depuis belle lurette. Comme par le passé, je lui fais totalement confiance. Jamais il ne m'a fait faux bond. Je compte sur lui pour corriger cet étrange comportement. Après une rupture, il est tout à fait normal de se donner un peu de latitude, n'est-ce pas? J'en suis convaincue, c'est ce qu'il y a de mieux à faire dans une telle situation. Évidemment, tout dépend de mon humeur. Parfois, je ne vois que le ciel bleu, le bonheur est au rendez-vous. Mais, occasionnellement, ce petit penchant désagréable accapare toute mon attention. Certains jours, j'ai envie de laisser couler la rivière. Par contre, il m'arrive aussi d'avoir une envie folle de la harnacher et de la faire dévier selon mon bon vouloir. Juste pour que tout soit parfait, exactement comme je le désire. Non, ce n'est pas un réflexe de nouvelle millionnaire. C'était en moi bien avant le compte bancaire tout garni. Peut-être m'avait-on déjà affirmé que je pouvais être maître de ma destinée! Certains destins sont plus coriaces que d'autres. Alors, de quoi est-ce que je me plains au juste ? Allons, allons ! Rappelle-toi que tu fais partie des heureux gagnants à la loterie !

Ma priorité est de profiter au maximum des beaux jours de ma saison préférée. C'est ma façon personnelle de prendre le contrôle de mon existence. Et comme un été sans voilier n'est pas une option possible, il est maintenant grand temps de procéder à la réservation du bateau. Par contre, quelques rectifications seront nécessaires à la suite de mon nouveau statut de célibataire. Il semble toutefois que ma sœur ne voie pas les choses du même œil. Nos points de vue diffèrent sur l'équipage, mais la passion l'emporte haut la main.

– J'aimerais beaucoup réserver le voilier sur le lac Champlain, dis-je à ma sœur.

– Oui, c'est le temps de le faire, en effet ! On va regarder nos disponibilités et on va couler une date dans le béton ! Ça va me faire du bien d'aller naviguer quelques jours. Et à toi aussi. Ce ne sera pas la même chose cette année, tu n'es plus en couple, la dynamique va être différente, hein ! répond-elle avec entrain en sortant son téléphone cellulaire pour vérifier son agenda.

– Justement, je voulais te parler de ça..., lancé-je, avec une certaine hésitation.

– Quoi ? Ne me dis pas que tu y vois un problème ! ajoute-t-elle en m'empêchant de terminer ma phrase, comme si elle se doutait de ce que j'allais lui révéler.

– Eh bien, depuis le tout début, il y a un homme à bord avec nous. J'ai quelques doutes. Une bonne paire de bras, ce n'est pas de trop lorsque le vent forcit sur le lac, tu le sais, on a déjà vécu l'expérience ! que je lui exprime, sans être convaincue de mon point.

– Ce que je sais, c'est que chaque fois que les choses se corsaient, l'homme à bord ne faisait que nous nuire parce qu'il contredisait sans arrêt tes ordres. Son obstination a même failli nous mettre en danger ! Tu parles d'une sécurité ! Il faut un seul capitaine à bord, et tu as fait tes preuves. Moi, j'ai confiance en toi, il faudrait juste que tu fasses la même chose! répond-elle avec une conviction étonnante, presque indignée que je laisse entendre que des femmes ne peuvent pratiquer la voile sans un homme à bord.

— Mais tu me parlais d'un ami, celui qui est célibataire. Le bon gars, tu sais? On pourrait l'inviter à venir avec nous! C'est un plongeur, il va aimer la voile, c'est certain! suggéré-je, ouvrant la porte à une occasion de revoir Martin.

— D'abord, Martin n'est pas disponible parce que ses vacances sont terminées. Donc, si tu veux faire de la voile, ce sera avec ta sœur, c'est tout! Alors, tu te sens d'attaque? On a toutes les deux notre brevet de chef de bord et plusieurs années d'expérience, je ne vois pas où est le problème! Et ce n'est certainement pas obligatoire d'avoir un homme à bord! lance-t-elle, en arborant un sourire digne d'une conquérante.

— Bon, c'est certain que je ne passerai pas un été sans naviguer sur le lac! Mais je vais m'assurer de planifier un itinéraire léger, avec non seulement un plan B, mais aussi des plans C et D!

— Ah! là, je reconnais ma sœur! Je te promets que ce sera mémorable! termine-t-elle, n'étant pas consciente qu'elle vient tout juste de me faire avancer d'un grand pas vers l'autonomie en me persuadant qu'un homme n'est pas nécessaire sur un voilier, pas plus qu'ailleurs non plus!

Les préparatifs vont bon train. Pendant que l'équipement nautique s'empile en tas bien distincts, les sentiments se mélangent. Je navigue entre le bonheur de me retrouver à nouveau sur un voilier et les craintes de l'inconnu devant moi. C'est étonnant comme la voile ressemble à la vraie vie! Encore une fois, une épée me pousse dans le dos pour avancer. Et c'est moi qui la tiens! Mes priorités sont claires, et la voile en fait définitivement partie. Alors, je n'envisage pas l'option de la bannir sous prétexte que je suis maintenant célibataire. D'autant plus que les réussites de mes brevets sur dériveur et sur voilier de croisière ont été des épreuves de dépassement personnel. Décider d'apprendre à maîtriser le vent est une chose, le faire à quarante ans en est une autre! Je me rappelle avoir découvert des forces inconnues chez moi. La satisfaction que j'ai retirée de cet exploit est incomparable. Est-ce que cela vaut les émotions d'un billet de loterie gagnant? Je répondrais que l'on parle de deux mondes complètement différents. Et comme je l'ai déjà affirmé, sentiments et argent ne sont pas des vases communicants. Il n'est donc pas nécessaire d'attendre un chèque pour vivre des moments inoubliables. C'est même la pire chose à faire. Les millions n'arrivent pas sur commande, en général. On a beau croire que l'on contrôle notre destin, mais parfois on a l'impression que quelqu'un ne lui a pas fait le message.

Je suis aux anges! Un voyage de voile à préparer. Me voilà flottant sur mon nuage! Façon de parler, bien sûr. Parce qu'il n'y a rien de plus concret que les préparatifs d'une croisière sur un voilier. Surtout lorsque deux femmes seules se retrouvent sur le navire. Un capitaine et un moussaillon. Il semble qu'une fois encore le cuisinier a été oublié! Je n'ai pas réussi à convaincre ma sœur, mais Martin aurait adoré éplucher les pommes de terre sur la proue! Peut-être une prochaine fois, qui sait? En attendant, la liste des provisions est révisée méticuleusement. Quelques incontournables, comme la salade grecque avec un extra de feta, les hot dogs sur le barbecue du bateau. Et les indispensables, comme le rhum pour les après-midis dans les baies, puis le vin rouge au souper. Viennent ensuite les appareils électroniques, GPS avec nos routes programmées, VHF portative pour nos arrivées à la marina, jumelles avec lentilles traitées au zirconium pour vision au crépuscule. Puis s'ajoutent à la liste les accessoires de la vie courante comme l'ordinateur, le cellulaire et l'appareil photo. La partie planification consiste aussi à procéder aux réservations des différentes marinas que nous visiterons pour la nuit. Notre périple devrait s'étaler entre Monty's Bay, au nord du lac Champlain, et Burlington, ma ville préférée. Mes plans de rechange sont établis avec rigueur, c'est dans ma nature. J'aime voguer au gré des vents, à condition d'aller dans la direction que j'ai choisie!

Ma sœur est dans un état d'euphorie, elle a la piqûre de la voile autant que moi. Notre petite escapade ne l'effraie aucunement, elle a une confiance totale en mes talents de chef de bord. J'aimerais pouvoir en dire autant. Je suppose que le léger doute qui subsiste quant à mes compétences est de bon augure. C'est la clé d'une évaluation objective des risques. Et un danger sous-estimé peut être le début d'un cauchemar. L'aspect physique de la voile n'est pas un élément à négliger, d'où ma réticence à voir deux femmes sur un voilier. La petite brise légère n'est pas un problème. Le vrai défi réside dans les vents violents et les vagues de plus de un mètre ! Et comme j'ai déjà vu la couleur de ces conditions, je sais pertinemment que ce n'est plus ce qu'on appelle de la voile « de plaisance ». Le plaisir n'est pas la première chose qui nous vient en tête sur un bateau qui gîte à plus de trente degrés. La notion de sport extrême nous effleure l'esprit par moments. Mais il n'y a rien de mieux pour savourer le calme par la suite ! Je suis consciente du défi qui nous attend. Il ne sert absolument à rien de dramatiser. En fait, au lieu d'appeler l'assistance-routière Acura, je passerai un coup de fil à la garde côtière américaine !

Le premier jour, notre itinéraire est court. Nous prenons possession du voilier à seize heures, et la baie où nous nous dirigeons est très populaire. Il est donc hors de question de s'éterniser à faire du tourisme. Nous profiterons du trajet pour nous mettre dans l'esprit d'un merveilleux weekend de voile. Mais voilà qu'en sortant du secteur protégé de la marina, les conditions se font un plaisir de nous ramener à la réalité. Un vigoureux vent de trente nœuds, près de soixante kilomètres/heure, nous frappe en plein visage. Et comme il ne vient jamais seul, des vagues de un mètre nous secouent comme un bouchon de liège. Même mon chapeau ne résiste pas à l'assaut. Pendant que je l'observe s'éloigner, ma sœur me regarde et me lance en criant de toutes ses forces : « Au moins il ne pleut pas ! » C'est bon de savoir que mon moussaillon a le moral, sauf que le mien baisse à vue d'œil ! En arrivant près de Treadwell Bay, nous devons contourner Point au Roche en effectuant un virage à cent quatre-vingts degrés, ce qui fait en sorte que nous avons maintenant cette belle petite brise par-derrière. Il faut naviguer ainsi pendant au moins trente minutes. Des conditions pareilles amènent un voilier à « surfer » sur les vagues. Vraiment génial… habituellement, parce que j'ai complètement oublié mes antinauséeux ! Ah, il est vrai que j'ai omis de spécifier que j'ai le mal de mer ! Mais juste par vent arrière très fort. Exactement comme les conditions actuelles !

Mais quelle malchance ! Je me console en me disant qu'une fois arrivées à Deep Bay, nous bénéficierons d'une certaine protection. Cette baie est parsemée d'amarres, un paradis sécuritaire pour les plaisanciers. La valse sur les vagues devrait diminuer. Je vis sur cet espoir pendant les longues minutes qu'il nous reste à parcourir. Mais une fois le voilier amarré, je dois me rendre à l'évidence. Cette baie est protégée sur trois côtés, sauf celui dont viennent les vents en ce moment. Il ne me reste qu'à espérer qu'il tourne rapidement. Pour m'en assurer, je syntonise le canal WX1 sur le VHF. Pas de chance. C'est parti pour la nuit. Je fais des efforts surhumains pour me convaincre que tout va bien, mais rien à faire. Je n'ingurgite que quelques malheureuses bouchées du divin faux-filet étendu devant moi. L'épreuve la plus pénible est de mettre de côté le barolo que l'on s'était réservé pour notre premier souper. Toute position autre qu'horizontale est un supplice pour mon estomac. Je dois me résigner, la soirée sera écourtée. Me coucher et dormir pour que le matin arrive au plus tôt. Ciel ! je donnerais un million pour une petite pilule !

Le reste de la croisière se passe sous le signe du soleil et du bon vent. Des conditions qui nous permettent d'avancer à un rythme plus que satisfaisant. Notre Bavaria de dix mètres se comporte parfaitement bien dans ce vent soutenu. Effectivement, il est à la hauteur de nos attentes. Nous profitons de sa stabilité sous voile pour en tirer le maximum, c'est-à-dire un équilibre parfait entre une bonne gîte et une excellente vitesse de croisière. En fait, nous retrouvons le vrai plaisir sportif de la voile et de ses manœuvres. Tout y est pour mettre du piquant dans notre traversée vers Burlington. L'objectif est d'y arriver vers quinze heures. Nous avons prévu passer quelques heures sur Church Street. Le temps de flâner dans les boutiques et de s'imprégner de l'ambiance des cafés-terrasses. Par la suite, notre restaurant de fruits de mer préféré nous attend avec sa chaudrée de palourdes incomparable. Cela constitue notre pèlerinage annuel dans cette magnifique ville du Vermont, aux paysages pittoresques, entre les eaux et les montagnes.

La voile fait maintenant partie de notre nouvelle vie. C'est l'un des nombreux effets collatéraux du billet gagnant. Dans notre vie d'avant, ce sport n'était pas vraiment au programme. Deux ressources essentielles étaient déficientes. Le temps et l'argent. Maintenant que les deux sont disponibles, autant en profiter. C'est une chance inouïe que j'ai de pouvoir naviguer à voile avec ma sœur, ma meilleure complice!

Nous nous rapprochons de la baie. Le toit rouge du Burlington Boathouse est mon point de repère. Juste derrière le phare du mur brise-lame. Ma sœur s'approche de moi et lance: «Regarde ça!» En même temps, elle pointe derrière nous. Pour toute réponse, je lui dis: «Ouf! il ne faut pas traîner. Ça va être juste!» Un orage est en formation et le lac Champlain peut nous faire bien des surprises. Le GPS m'informe que nous devrions être à la marina dans quarante-cinq minutes. On devrait y arriver. Je préfère que le voilier soit bien attaché au quai. D'autant plus que le nombre de bras est restreint et que manipuler des voiles par gros temps demande certains efforts. Je ne tiens pas à confirmer aujourd'hui que deux femmes peuvent bel et bien s'en sortir! Une autre fois fera l'affaire. Il y a certaines choses comme celles-là que l'on préfère laisser dans le domaine du doute. Évidemment, l'expérience que nous en retirerions serait inestimable. Mais cette fois-ci, j'aimerais que tout se passe sans événement particulier. Juste une inoffensive croisière en voilier où tout baigne dans l'huile.

Il faut croire que l'alignement des planètes en a décidé autrement, parce qu'à partir de ce moment précis, les vents augmentent dramatiquement. La tempête s'approche plus vite que prévu. Tout déraille.

– On approche, il faudrait rentrer le génois. Quand tu es prête, je place le voilier dans la bonne direction et on enroule la voile, crié-je à ma sœur. Je ne suis pas inquiète, elle sait quoi faire.

– Ça ne marche pas! L'enrouleur est bloqué, on dirait! Je vais aller voir ce qui se passe devant, ce n'est peut-être pas grand-chose, lance-t-elle en se dirigeant vers le pont.

– N'oublie pas, une main pour toi, une main pour le bateau! lui crié-je, sachant bien sûr qu'elle le fera parce que notre formation était axée sur la sécurité. Nous avons bien assimilé la leçon et aujourd'hui, c'est le moment de la mettre en pratique.

– J'ai essayé mais il n'y a rien à faire! C'est complètement bloqué, et le vent est trop fort, ça met trop de tension sur l'enrouleur. Je te jure, ce n'est pas le moment de se mettre les doigts là-dedans! dit-elle en revenant dans le cockpit, après dix minutes de tentatives infructueuses.

– Zut! on n'avait pas besoin de ça! Bon, on va affaler la grand-voile. Et il va falloir rentrer à la marina avec le génois au vent! expliqué-je, sachant très bien que toute tentative d'affaler la voile d'avant par un vent semblable nous mènerait tout droit vers des bris majeurs.

Une fois la grand-voile bien attachée, je prends la direction de l'entrée du brise-lame. À l'intérieur, le vent devrait diminuer. Je contacte la marina pour émettre un avertissement. «Nous entrons avec un génois au vent, assistance demandée au quai!» Dans les secondes qui suivent, la garde côtière s'approche de nous. Si de l'aide est nécessaire, des gens sont prêts à intervenir. À mesure que les quais se rapprochent, je constate avec horreur que le vent faiblit à peine. Pas très protégée, la baie de Burlington! J'aperçois notre quai et les employés qui nous attendent. Mon plan est simple : effectuer des manœuvres précises. Il n'y pas de place à l'erreur. Un vent de cette force sur un voilier ne pardonne pas, surtout avec une voile libre. Je dois effectuer un virage serré pour entrer à ma place. Et c'est là le drame, parce que cela me place en position pour que le vent pousse la poupe directement sur mon voisin, un énorme yacht d'environ un million de dollars! Même les gagnants à la loterie ne peuvent se permettre un tel jouet!

Ensuite, tout se passe très vite. J'effectue mon virage à bâbord. Comme prévu, le vent pousse l'arrière du voilier doucement à tribord. Grâce à la vigilance des garçons de quai qui attrapent les amarres que ma sœur leur lance, le bateau est ramené à sa place. La partie n'est pourtant pas encore gagnée. Le génois bat toujours au vent et fouette l'air à grands coups. La tempête est presque sur nous, c'est une question de minutes. Mais la communauté nautique en a vu d'autres et les renforts ne tardent pas à arriver. Quatre ou cinq Québécois viennent à la rescousse. Il est inutile de dire que deux femmes sur un voilier attirent l'attention de toute façon, voile au vent ou pas! Nous terminons de plier cette énorme voile et la rentrons de justesse dans le bateau. Les vents deviennent incroyables et la pluie se met de la partie. Je n'ai jamais rien vu de pareil! Nous sommes au deuxième étage du restaurant de la marina et nous regardons le spectacle qui se déroule devant nous. Quelques bateaux s'approchent des quais et tentent d'accoster. Mais rien à faire. Des vagues de un mètre secouent les structures. Ma sœur me regarde et me dit: «Ouf! on l'a vraiment échappé belle, hein!»

Une heure plus tard, nous entrons finalement dans notre bistro préféré. Une odeur de fruits de mer et de beurre à l'ail nous réconforte. Nous nous dirigeons vers notre table, déterminées à savourer pleinement l'ambiance conviviale qui règne ici.

– Hé! salut vous autres! On dirait que c'est le temps de relaxer maintenant, hein! lancent nos amis matelots rencontrés à la marina, en prenant bien soin de se présenter l'un après l'autre.

– Allô! encore une fois merci pour tout à l'heure! Je crois que le gréement aurait été arraché avec ces vents violents! Moi, c'est Joanne, voici ma sœur! ajouté-je, en continuant à marcher vers ma table.

– Quoi? Vous êtes deux sœurs! Si vous avez besoin de quoi que ce soit, n'hésitez pas à nous le dire, termine l'homme assis près du mur, pendant que les autres acquiescent d'un signe de la main.

Lorsque je suis assise enfin, j'ai devant moi un paysage exceptionnel: le lac Champlain dans toute sa splendeur, et d'un calme désarmant, comme un miroir sous le magnifique coucher de soleil. Absolument rien ne laisse voir qu'il y a une heure, c'était l'enfer sur terre. Mais ma sœur me ramène à la réalité.

– Ils avaient l'air bien, hein? Vraiment sympathiques, les gars! Il s'en est fallu de peu pour qu'ils nous invitent à nous join-dre à eux… mais tu étais tellement pressée de t'éloigner! remar-que ma sœur, avec un sourire en coin.

– Ah, bien sûr! Je suis convaincue qu'ils auraient voulu qu'on se joigne à eux! Ils étaient certains qu'on était lesbiennes! lui dis-je en m'étouffant presque de rire.

– Il n'y a vraiment rien à ton épreuve, toi! Toutes les raisons sont bonnes! Mais celle-là, c'est une première, n'est-ce pas? pré-cise-t-elle avec ironie.

La soirée se passe sous le signe de la satisfaction d'avoir accompli quelque chose de très particulier. Nous passons en revue chaque instant et nous exprimons nos émotions. C'est une séance de débriefing en règle, devant un riesling bien frais.

Le lendemain matin, je me lève tôt. Si nous voulons respec-ter notre horaire, nous devons quitter la marina vers huit heures pour revenir vers Plattsburgh. Avant de préparer le voilier pour le départ, je dois aller une dernière fois à la marina. Je marche d'un bon pas sur le quai et je me crois seule.

– Bonjour! C'est un peu plus calme qu'hier! Vous partez ce matin? Nous, on va à l'Île Valcour, et vous? me demande l'un de nos amis de la veille, tout en se rapprochant de moi au pas de course.

– Oh, allô! On part pour Plattsburgh dans quelques minutes. J'espère que, cette fois, la tempête ne nous frappera pas! dis-je amicalement.

Il me raconte qu'il est militaire et qu'il vit en Ontario. Son meilleur ami lui a fait découvrir la voile. Il pense même faire l'acquisition d'un voilier. Il s'informe de moi. Ses questions sont précises mais il le fait de façon délicate. Il est calme et posé, et semble avoir confiance en lui mais pas à l'excès. Des yeux magnifiques, un regard à faire fondre un glacier. Un corps parfait, digne d'un entraînement rigoureux. Une très belle personnalité au premier abord. Un type à faire craquer une millionnaire célibataire.

En revenant au voilier, je raconte à ma sœur ma charmante rencontre sur le quai. Elle est très excitée et me presse de tout lui raconter à l'instant.

– Et ensuite, que s'est-il passé?

– Eh bien, rien! Il croyait que j'allais à gauche jusqu'au bout. Mais moi, j'ai tourné à droite. Je lui ai dit au revoir rapidement. C'est tout!

– Non! Ce n'est pas vrai! Tu ne lui as même pas laissé la chance de te demander ton numéro de téléphone, ton courriel ou je ne sais quoi!

Et pour la première fois, j'ai ressenti quelque chose de différent. Des regrets, je crois.

Troisième partie

*La critique féminine
libératrice!*

Chapitre 13

Des échanges révélateurs,
et des points de vue qui diffèrent

QUEL REVIREMENT DE SITUATION! IL SEMBLE QUE LA RÉFLEXION prend un nouveau tournant. Quelque chose vient de se produire et ce n'est pas négligeable. À un point tel que ma vision des choses pourrait changer. En tant que célibataire millionnaire, je commence à entrevoir les avenues qui se dessinent à l'horizon. Mais, jusqu'à maintenant, j'avais l'impression de n'avoir qu'une vue partielle sur l'ensemble du paysage. Peut-être parce qu'un objet quelconque obstruait ma vue. Ou était-ce plutôt ma main qui cachait un de mes yeux? Celui de l'option que je ne voulais pas nécessairement voir à ce moment-là. Me réinvestir dans une possible vie de couple... avec tout ce que cela implique. Et les risques de blessures qui sont toujours présents. Sans oublier la plus pénible tâche qui soit: devoir refaire confiance à une autre personne que soi-même.

J'aimerais comprendre ce que ce bel Ontarien a fait de particulier pour lever le rideau sur ce petit coin de mes émotions. Et ainsi dépoussiérer le désir, le remettre à l'ordre du jour de mes plans d'avenir. Sans même m'en rendre compte, j'avais enseveli cette partie de moi sous des tonnes de débris. D'ailleurs, la catastrophe de la rupture en avait laissé suffisamment. Tout était là, disponible. Il suffisait de cacher de ma vue tout ce qui faisait trop mal. La trahison, le mensonge et l'hypocrisie, tous disparus comme par enchantement. C'était nécessaire pour continuer d'avancer. Un gigantesque pansement pour bien dissimuler les blessures béantes. Personne n'y verrait rien, pas même moi. Et je finirais par oublier, tout simplement. La vie suivrait son cours, comme si rien ne s'était passé. Il ne resterait qu'une cicatrice, mais elle ne devrait pas m'empêcher d'avancer, juste me rappeler la prudence. Ne plus jamais me remettre en position dangereuse. Ne plus jamais prendre le risque d'être blessée de nouveau. Cette cicatrice ne serait ni plus ni moins qu'un guide. Un GPS pour célibataire blessée. Millionnaire ou pas, aucune différence. Une flèche m'indiquerait la direction à prendre pour éviter les pièges. Un skieur trop près. Attention, danger! Tournez à droite à la prochaine intersection. Un golfeur insistant. Changez de route immédiatement. Il suffisait d'écouter la petite voix de la raison. L'émotion ne faisait pas le poids, trop étouffée.

Mais un marin sur un quai venait de changer tous les paramètres. Une mise à niveau majeure s'impose. Le moment est maintenant venu de retirer le pansement et de laisser cette cicatrice à la vue de tous. Il n'y a plus aucune raison de la cacher. Au contraire, elle est la trace qui reste d'une grande réussite personnelle. Comme tous les autres qui ont affronté l'adversité, la victoire est douce: la sérénité. Raison de plus pour la savourer. Encore une fois, qu'a-t-il fait, cet homme? Absolument rien de spécial. C'est peut-être ça, l'énigme. Il a juste été lui-même. Sa confiance en lui était suffisante pour qu'il n'essaie pas de m'impressionner. Mais, contre toute attente, il l'a fait. Et vlan! me voilà sous le choc. Je crois maintenant aux contes de fées! Ils sont réels. J'ai été moi-même sortie d'un long sommeil par un prince charmant.

Mon mystère personnel devient un peu plus clair. Les éléments s'additionnent et ma réflexion se poursuit. Je sais que j'évolue dans la bonne direction. Bien sûr, la partie n'est pas encore gagnée. Je ne réussis toujours pas, actuellement, à bien m'expliquer la rencontre de la marina. Cela reste un peu nébuleux, j'essaie encore de comprendre mes réactions et mes émotions. Honnêtement, j'ai l'impression que les réponses ne se trouvent pas seulement du côté de mon marin. Et si c'était juste le temps qui fait son effet. Le recul commence à porter fruit. Lentement, les choses se placent, la perspective s'installe. Autrement dit, je suis dorénavant disposée à retirer le pansement. Une cicatrice est visible. Elle fait partie de moi. Plus encore, elle fait de moi ce que je suis aujourd'hui. Une femme plus mature, juste plus humaine.

Mais je sais que ce n'est pas tout, qu'il y a autre chose. Cette rencontre change totalement ma perspective. Je suis convaincue maintenant qu'il existe encore des hommes sincères et vrais, probablement dignes de confiance. Qui ont des valeurs semblables aux miennes. Où le mensonge n'a pas sa place. Des hommes pour qui être authentique est primordial. Je dois tout cela à un militaire ! Mais peut-être sont-ils plus nombreux que je le crois à posséder ces qualités ? Et peut-être sont-ils déjà autour de moi ? Alors, lorsque le moment sera venu, je les verrai probablement. Parce que je regarde avec mes deux yeux maintenant. Je peux distinguer ce que je ne voyais pas auparavant. Les nuances sont bel et bien là. Enfin autre chose que du blanc et du noir. C'est fou ce que tout peut prendre une couleur différente.

Forte de ma nouvelle vision des choses, je poursuis ma route. Ce n'est surtout pas le moment de m'arrêter. Cette nouvelle tournure des événements promet d'être intéressante. C'est un coup de fouet rafraîchissant, il ne peut en résulter que du positif. Il n'y a rien de pire qu'une réflexion personnelle où l'on tourne en rond autour de son petit nombril. Cette secousse va me faire changer d'orbite. Je verrai le même système solaire, mais d'un angle complètement différent. Reste à voir si cette nouvelle ouverture d'esprit se traduira dans mon comportement. Parce que, parfois, la pensée traverse difficilement la barrière de la réalité. Qui a besoin de vœux pieux quand une vie de millionnaire l'attend ! Une période de recul perd tout son sens si elle s'éternise et nous empêche de vivre pleinement.

**

Justement, une amie m'invite à souper. Il y a un bon bout de temps que nous nous sommes vues. En fait, nos dernières rencontres datent d'avant la rupture. Ce qui constitue en soi une éternité, en termes de façon de penser beaucoup plus qu'en termes de temps. Même si nous sommes restées en contact régulier depuis l'événement fatidique, elle prend bien soin de s'informer de mon état d'esprit. Mais ce soir, il semble qu'elle ait en tête un plan particulièrement bien élaboré à mon intention. Elle est en couple depuis très longtemps et le bonheur lui sort littéralement par les oreilles! C'est probablement pour cette raison qu'elle souhaite me ramener dans le droit chemin de la vie à deux. Et cela, le plus tôt possible. Je crois que, pour ma bonne amie, prendre mon temps est synonyme de perte de temps. Chaque jour passé en tant que célibataire me prive d'un bonheur indescriptible.

– Écoute, Joanne! J'en ai parlé avec mon mari et il est d'accord avec moi! Il faut absolument qu'on te présente mon beau-frère, me dit-elle après avoir soigneusement préparé le terrain.

– Ah! tu sais, Nathalie, je ne suis pas pressée.

– Je trouve ça très bien que tu aies pris du recul. Il ne faut surtout pas se lancer tête première dans une nouvelle relation après une rupture, mais je suis certaine que tu aimerais Gilles. Il est vraiment charmant. Divorcé depuis un an, il ne sort pratiquement jamais. Je te jure, ce serait le bonheur total! Tu aurais la sainte paix avec lui, aucun problème! Tellement, que sa routine le soir après le souper, c'est de s'endormir sur le canapé devant les nouvelles! me lance-t-elle, en me dévisageant de son regard protecteur.

– Eh bien...

– En plus, il joue au golf!

– Vraiment? Je ne sais pas quoi te dire, mais je ne me sens pas encore prête. J'apprécie ce que tu fais et je suis convaincue qu'il est exceptionnel. Aucun doute. Je ne te dis pas non pour plus tard. Dès que je me sentirai d'attaque, tu seras la première à le savoir, c'est certain!

Bon, d'accord! Canapé, nouvelles, roupillon... N'y aurait-il pas un milieu entre ce monsieur et le fanatique des sites de rencontre? Est-ce que ces longs mois de vie en solo font de moi une femme trop exigeante maintenant? Je ne crois pas, au contraire. C'est de très bon augure. Mon objectif se précise et, déjà, je peux établir fermement une prémisse de base. La vie à deux, oui, mais pas à n'importe quel prix! Après tout, je peux me le permettre. La notion d'argent vient peut-être jouer un rôle intéressant. Pour Nathalie, le couple est la destination ultime de la femme! Il ne faudrait surtout pas croire qu'elle est soumise ou dépendante affective. Je la connais suffisamment pour affirmer qu'elle chérit son indépendance. Elle réussit très bien à le faire à l'intérieur de son couple. Ces partenaires de vie ont réussi à établir un équilibre naturel entre eux où chacun peut s'épanouir. En fait, ils vivent la formule idéale.

Mais atteindre cet équilibre n'est pas chose facile. Même parmi les couples qui durent, il faudrait voir ceux qui sont réellement heureux ensemble. On peut parfaitement être en couple et rêver d'être ailleurs! En fait, c'est ici qu'entrent en jeu nos expériences passées, les bonnes et les mauvaises. Le temps a aussi une grande part de responsabilité dans l'évolution de notre façon de voir le couple. En général, une femme de vingt-deux ans pourra passer l'éponge sur bien des défauts de son copain. Sa capacité de supporter les irritants est phénoménale. Elle est prête à assumer toutes les responsabilités que monsieur ne prend pas sur ses épaules. Mais ce n'est pas tout. Elle va jusqu'à adapter ses loisirs en fonction de l'homme de sa vie. Et lorsque les finances exigent un resserrement des dépenses, elle n'hésite aucunement à se sacrifier. Elle peut délaisser graduellement son apparence, ses rêves personnels s'estompent. En somme, la femme est une espèce ayant une capacité d'adaptation impressionnante. C'est pour cette raison qu'elle réussit à trouver le bonheur dans cette situation. Elle est heureuse. L'harmonie règne autour d'elle. Il ne lui en faut pas plus.

Cette femme, c'était moi il y a plus de vingt ans! Un jour, le temps entre en jeu et il complique tout. Graduellement, il détruit l'harmonie si chèrement édifiée. Il provoque des séparations douloureuses. Il sème sur notre route des rencontres douteuses. Il place en travers de notre chemin des mensonges et des trahisons que nous devons escalader pour continuer d'avancer. Soudainement, lorsque nous relevons enfin la tête pour reprendre notre souffle, le paysage a complètement changé. Plus rien ne ressemble à notre forteresse d'avant. Les certitudes ne sont plus les mêmes, les priorités ont changé. Nous regardons en arrière et nous sommes stupéfaites de voir les traces laissées par nos combats. Les fameuses cicatrices. Nous sommes la même personne, mais notre façon de voir les choses a changé. Les autres aussi traversent des chemins chaotiques et ils ont leurs propres blessures. Arrive un moment, dans la quarantaine, où tout ce petit monde cherche à se rejoindre. Mais nous avons tous de très lourds bagages, un passé. Nous essayons de monter dans le train de la vie à deux. La porte est très étroite, seuls quelques-uns y parviendront, parfois à un prix fort élevé. D'autres préféreront le laisser partir, terminé les voyages! Non, ce n'est plus du tout comme à vingt ans. J'atterris sur une autre planète.

Mais en attendant, la vie continue. Comme chaque semaine, je rencontre Francine et Sylvie au club de golf. Après la partie, nous sommes toutes les trois partantes pour un rosé sur la terrasse. Et une mise à jour complète des derniers événements de nos vies respectives. Mais après quelques minutes de discussion, j'ai vaguement l'impression que quelque chose a changé. Il me semble que le ton est différent. Toutes les deux semblent prendre un tournant qui m'étonne. J'essaie de porter attention à certains détails de leurs propos. Des éléments m'échappent, et ce n'est pas le fruit de mon imagination, j'en suis convaincue.

— Je ne crois pas renouveler mon abonnement pour l'an pro-chain. Des amies m'ont invitée à un club que j'ai beaucoup aimé, commence Sylvie, comme si elle marchait sur des œufs.

— Vraiment? Mais pourquoi, tu n'aimes plus jouer ici? C'est nouveau, je n'avais pas remarqué ça! lui dis-je, stupéfaite par cette déclaration.

— Eh bien, ce n'est pas pour le golf. J'aime vraiment ce par-cours. Tout est simple ici, c'est facile d'avoir un départ à peu près n'importe quand, continue-t-elle, toujours avec des gants blancs, sur le ton de la confidence.

— Alors je ne comprends pas! Qu'est-ce qui ne va pas?

— Écoutez, les hommes ici, il n'y en a pas qui me plaisent. Je sais que c'est bizarre de parler comme ça, mais on dirait que j'ai le goût de voir autre chose. Quand je suis allée là-bas, j'ai remar-qué que les gens étaient... en fait, c'est simple, il y a plus de gens intéressants. Vous voyez ce que je veux dire, lance-t-elle, d'une voix faible, comme si elle se soulageait d'un énorme poids.

— C'est drôle que tu en parles, parce que, moi aussi, je vou-lais vous l'annoncer. Je me suis abonnée à un autre terrain pour l'an prochain, avoue Francine, tout en regardant son verre et n'osant pas lever les yeux vers nous.

— Quoi? Toi aussi! m'exclamé-je, complètement déroutée par l'espèce de tragédie qui se déroule devant moi.

— Je sais, je n'en avais pas parlé encore. Moi aussi, j'ai été invitée par des amies à un autre club et à plusieurs reprises. Il y a là quelqu'un qui m'intéresse. J'y ai beaucoup réfléchi et j'aime-rais avoir la chance de le voir régulièrement. La seule façon d'être en contact avec lui plusieurs fois par semaine, c'est d'être membre du même club que lui, continue-t-elle doucement, comme si elle aussi marchait sur un terrain miné.

— Eh bien, ça alors! Avez-vous été en contact avec un mili-taire sur un voilier vous aussi? lancé-je, toujours sous le choc de leurs déclarations fracassantes.

— Pourquoi tu dis ça? Tu as rencontré un militaire pendant ton escapade à voile? me demande Sylvie, presque soulagée du changement de sujet.

— Si on veut. Mais pas vraiment! On a simplement discuté. C'est juste qu'il a provoqué un petit séisme. Je crois qu'il m'a guérie de mes envies de fuir à tout prix. Tout un changement de cap pour moi. Et là, je vous entends, je n'en crois pas mes oreilles! Où sont celles qui ne juraient que par le célibat des femmes bien nanties? Avouez qu'il y a de quoi être un peu perdue! leur dis-je, décidée à éclaircir le mystère.

— Honnêtement, Joanne, je dois avouer que tu as contribué à changer ma façon de penser.

Décidément, il semble que l'on se retrouve en pleine séance de confession. Chacune avoue ses péchés. Ciel! nous croyons encore à l'amour! Pardonnez-nous! C'est important de battre le fer pendant qu'il est chaud. Je dois absolument comprendre ce qui s'est passé chez mes copines. Il faut que j'éclaircisse cette étrange dynamique. Sinon, à quoi bon passer des mois en période de réflexion. J'aimerais bien en sortir avec l'impression d'avoir cheminé vers une vision plus ouverte. D'autant plus qu'on semble vouloir m'attribuer tout l'honneur de ces changements! Je dois savoir quelle est cette petite étincelle qui a mis le feu aux poudres. Elles ont peut-être vu quelque chose qui m'a échappé. Il serait peut-être temps que j'allume, moi aussi! Le moment semble bien se prêter aux confidences. Toutes trois installées à une table sur la terrasse, les conversations animées des autres convives vont bon train. Mais nous n'en sommes pas conscientes, nous remarquons à peine la serveuse qui renouvelle nos verres. La discussion atteint un niveau supérieur. Nous n'en sommes plus aux banalités. Soudainement, l'élan de golf devient secondaire et accessoire. Cette discussion n'est pas terminée, loin de là. Mon petit doigt me dit qu'une bombe se cache sous la table, prête à exploser. Ces choses-là se sentent. Et, comme pour confirmer mes doutes, Francine appuie sur le détonateur.

— Tu sais, Francine, je suis vraiment heureuse pour toi ! J'espère que ça va fonctionner comme tu le veux. De toute façon, ce gentil monsieur, il ne pourra pas te résister ! Je te vois en couple, avec une foule de projets ! ajouté-je, pour lui montrer qu'elle n'avait pas à se sentir coupable de changer son fusil d'épaule.

— Je ne t'ai pas tout raconté, je n'ai pas terminé ! Si c'était aussi simple. Joanne, il est marié !

— Oh non ! ce n'est pas vrai ! que je m'exclamai d'un seul souffle, complètement sidérée par les paroles surréelles qui viennent de sortir de sa bouche.

— Je sais que ça surprend, surtout provenant de moi ! Mais je te jure que c'est arrivé comme ça ! Tu peux me croire, j'ai retourné le problème de tous les côtés. J'ai même tenté de fermer les yeux et de passer à autre chose. Habituellement, ça se serait tassé, mais cette fois-ci, faire l'autruche, ça ne fonctionne pas. Et c'est un peu à cause de toi !

— À cause de moi ?

— Ce n'est pas un reproche ! Au contraire, tu m'as ouvert les yeux. Depuis plus de dix ans, je me suis enfermée dans ma vie de célibataire en me répétant que plus personne ne valait le coup. Et toi, tu arrives avec tes interrogations et ton processus de réflexion, comme tu le dis ! Eh bien, je me suis remise en question. C'est probablement à cause de cette nouvelle ouverture que j'ai vu l'intérêt qu'il me portait. Avant, je n'aurais rien vu.

— Sauf que moi, j'exclus les hommes mariés !

— Son couple battait de l'aile bien avant que je rentre dans le décor ! Il ne voyait pas l'urgence de la quitter, ils avaient leur confort, leurs habitudes. Maintenant, il réalise qu'il n'a qu'une vie à vivre. Alors peut-être...

— Tu vois, je n'avais pas réfléchi à cette situation ! Je crois que j'avais suffisamment de matière à m'occuper ! Écoute, une chose est certaine, tu n'as de comptes à rendre à personne. Et tu ne peux pas baser tes choix sur le jugement des autres. Parce qu'après c'est toi qui devras vivre avec les regrets ! Je te souhaite que ça évolue dans le sens que tu désires. Et même si ce n'est pas le cas, juste de voir les choses autrement, c'est bien.

Sylvie réintègre la conversation. Elle était déjà au courant, mais préférait laisser toute la place à Francine. Ne sachant pas trop comment réagir, elle est soulagée que l'abcès soit crevé et que la situation soit enfin dédramatisée. Désormais, elle sera un peu plus à l'aise lorsque Francine entamera son long monologue sur les qualités de sa nouvelle flamme. Les vieux réflexes réapparaissent très vite. Monsieur devient l'univers de madame ! Par la suite, Sylvie poursuit sur la lancée et nous fait part du fruit de sa propre réflexion. Il ne fait aucun doute, les choses ont changé. La première étape est de prendre conscience que les stores sont fermés. La seconde est de prendre son courage à deux mains. Il faut les ouvrir. Pour Sylvie, changer de club de golf est le pas dans la bonne direction. Le symbole de sa porte ouverte à ce que la vie peut avoir à lui offrir.

Rien n'indique que ces rencontres seront fructueuses et qu'elles se révéleront être de véritables contes de fées. Mais la question n'est pas là. Pourquoi faudrait-il connaître ces réponses ? Dans tous les autres aspects de notre vie, les doutes sont présents. Nos emplois sont source d'insécurité. Élever nos enfants nous amène constamment à nous questionner. Même gagner à la loterie nous place devant l'inconnu ! Mes compagnes ont la chance d'avoir un compte bancaire bien garni. Quel impact cela aura-t-il sur leurs futures rencontres ? Vont-elles avoir la lucidité nécessaire pour déceler les profiteurs ? Parce que le désir peut parfois être un très mauvais conseiller. Résisteront-elles à l'envie de revenir en arrière, dans leurs petits nids douillets et confortables où elles sont maîtres de tout ? Ressentiront-elles une envie soudaine de mettre un frein à une relation ? Juste par crainte du risque de nouvelles cicatrices ?

Mais, un instant ! Je crois que je confonds. Ce sont mes questions. Oui, les miennes ! Ou peut-être ne suis-je pas seule sur ma planète. Ce serait rassurant. La célibataire millionnaire serait un miroir. Le reflet d'autres rescapées de l'amour.

Chapitre 14

La famille, territoire bien protégé
et risqué... pour un inconnu

*L*ES HISTOIRES DE MES AMIES SE POURSUIVENT, MAIS RIEN DE CON-
cluant n'en ressort. Pour l'instant. Voici un autre exemple flagrant de situation où connaître l'avenir nous éviterait bien des
pertes de temps. J'exagère! Comme pour tout le reste, aucune
situation vécue n'est jamais totalement vaine. En fait, même les
événements les plus aberrants nous permettent de faire un pas
en avant. Mais parfois, notre perspective nous donne vraiment
l'impression de reculer. C'est pour cette raison que, peu importe
l'issue des projets de ces gentilles dames, la conclusion sera
bénéfique. Elles vont vivre l'amour et en profiter pleinement. En
se reprochant de ne pas avoir agi plus rapidement. Ou bien elles
regretteront d'avoir cru un instant que quelque chose de bon
pouvait émerger d'une amourette passagère et elles retourne-
ront se vautrer dans la sécurité de leurs fréquentations féminines bien nanties. Bien sûr, tout en continuant leur mission, c'est-
à-dire mettre en garde les nouvelles célibataires contre les
affreux risques de se laisser berner par un homme.

Cela résume en partie la pensée d'une grande partie des
riches célibataires. Cependant, cette simplicité est trompeuse. Je
soupçonne quelque chose de beaucoup plus sournois. Une réalité qui ne se montre pas au grand jour. Au contraire, il me semble qu'elle se dissimule derrière les conversations. Pendant un

temps, nous discutons avec légèreté des candidats possibles qui pourraient pourvoir au poste de compagnon. Toutes les exigences requises sont passées au peigne fin. Même les compétences obligatoires sont déterminées avec le plus grand soin.. car le diable est dans les détails, dit-on! Puis, graduellement, la proximité entre les amies fait en sorte que les discussions évoluent vers des considérations beaucoup plus épineuses. Comme je l'ai déjà mentionné, les célibataires dans la quarantaine ont une particularité qui les distingue: l'expérience. Et cela change tout.

Mais s'il n'y avait que ce détail. Un autre élément vient s'ajouter à la complexité de l'équation. Parce qu'il est vraiment question de mathématiques ici, il ne faut pas s'y méprendre. Eh oui! l'argent est la constante dans cette formule. Et la variable est incontestablement monsieur. Donc, toujours suivant cette logique arithmétique, c'est lui qui doit s'adapter pour que le tout s'équilibre. Madame ne changera pas, elle. Parce qu'elle est déjà passée par là. Elle a plus que donné à cette enseigne, et cela suffit amplement. Lorsque la complicité s'installe vraiment entre les copines, les barrières s'effondrent. Y compris le tabou de l'argent. Enfin, nous pouvons discuter de choses sérieuses et laisser de côté les considérations superficielles!

— Écoute, Joanne, je ne connais pas les détails de ta situation financière, mais comme nous, tu as un patrimoine à protéger. C'est une lourde responsabilité pour une nouvelle venue dans le monde aride des célibataires d'âge mûr, commence Sylvie, lors d'une autre de nos rencontres féminines.

— Ne t'en fais pas! C'est certain que je ne choisirai pas n'importe qui! Je n'ai pas l'intention de me faire laver, crois-moi!

— Ça, je le sais très bien, ma chère! Mais je te parle d'autre chose. Tu as une certaine obligation envers ta famille. C'est ta responsabilité de la protéger d'un chasseur de trésor. Parce que si tu laisses entrer un inconnu dans la forteresse familiale, d'énormes risques viennent avec lui! lance-t-elle, sur un ton grave et paternaliste.

– Mais c'est la même chose pour tout le monde! Personne ne veut d'un voleur dans sa vie!

– Non, c'est complètement différent! Parce que ces gens n'ont rien à perdre. Toi, oui. Dans leur cas, une erreur coûte un peu d'amour-propre. Ton amour-propre à toi, il a un prix! N'oublie jamais ça! Et les membres de ta famille, ils ont un mot à dire. Parce qu'ils peuvent voir des choses que tu ne vois pas, à cause de l'aveuglement! Alors, s'ils disent que ce n'est pas un gars pour toi, ça se peut qu'ils aient raison!

– Et comment vas-tu dire ça à ta fille, toi?

J'essaie de dédramatiser le sujet. Par contre, je dois l'avouer, je suis encore sous le choc. Percutant comme avertissement! Bien entendu, je sais qu'elle a raison, mais jusqu'à quel point? Dois-je vraiment demander des permissions à mes parents? Je comprends ce qu'elle veut dire, parce que j'ai des enfants, moi aussi. Et il est très probable que l'entourage puisse déceler certains indices d'hypocrisie. Mais il semble que, dans le cas des riches célibataires, il y ait une obligation d'y prêter l'oreille! Il est fort probable que tout se joue au niveau de l'attitude à adopter. Dans une autre vie, mon petit côté rebelle aurait vite balayé toute opinion négative sur mes choix amoureux. Je suppose qu'avec le billet gagnant de la famille, viennent maintenant des devoirs. Après les voyages et les cadeaux, le moment est venu de rendre des comptes!

En fait, je dois avouer que j'abonde dans le même sens. La plus grande des prudences s'impose. Cependant, le comportement à prendre en est un de responsabilité. La rébellion n'a pas sa place, ce qui demande, d'ailleurs, une bonne dose de maturité. Peut-être cette sagesse a-t-elle été manquante chez les gagnants qui ont vécu l'horreur. L'argent peut avoir un effet étrange. Et l'on peut se croire doté de nouveaux pouvoirs. Comme être à l'épreuve de tout ou être infaillible. Cette route mène probablement vers des déboires. Difficile à prévoir... Je manque encore d'expérience dans le domaine des millionnaires de la loterie. Quoi qu'il en soit, depuis l'instant où mes parents ont tenu le billet gagnant entre leurs mains, la famille s'est placée en mode prudence. Jusqu'à maintenant, la formule est certainement gagnante. Prendre un virage vers la témérité serait risqué. Que chacun choisisse ses combats. Celui-là n'est pas le mien.

Donc, contrainte supplémentaire à ajouter à la liste déjà longue. S'assurer de bien connaître le candidat avant les présentations officielles. En fin de compte, à cet égard, je me range du même côté que mes amies célibataires et expérimentées. Lorsque je fais part de mes réflexions à ma sœur, elle aussi n'a que de bons mots pour d'aussi sages conseils. Je peux voir qu'elle est rassurée. Même si elle sait très bien qu'il aurait fallu tout un changement de personnalité pour que mes choix deviennent risqués.

— Je ne crois pas que les parents soient inquiets de tes fréquentations. De toute façon, tu le saurais assez vite! On dirait que tu te prépares à passer à l'étape des rencontres, je me trompe? me demande ma sœur.

— Je n'ai pas l'impression de changer vraiment d'étape. C'est juste la suite logique. Je sens que je ne suis plus aussi fermée et que je commence à entrevoir une autre vision des choses. Partager mon temps avec quelqu'un ne me semble plus aussi pénible. C'est quand même toute une avancée, hein!

— Ça paraît que tu vois les choses autrement. Si tu veux, mon bon ami Martin attend juste que je lui donne le feu vert pour te rencontrer! Crois-moi, je fais une sélection très poussée! En plus, je te parle de lui depuis tellement d'années, il fait partie de mes amis les plus proches. Tu ne l'as vu qu'une seule fois, mais c'est comme s'il était de la famille!

C'est exact. J'ai vraiment l'impression de le connaître. Ses combats sont les miens. Nous cherchons des réponses à nos questions, sur les probabilités de rencontrer des gens équilibrés. On voudrait ne pas se tromper et gagner le gros lot dès la première mise ! En fait, il est plutôt rassurant d'entendre dire que des hommes aussi, de leur côté, recherchent des candidates pour des relations aux bases solides. Loin de moi l'idée de croire que tous les hommes de plus de quarante ans ont l'engagement en horreur. Je suis tout simplement face à l'inévitable. Les gens s'investissent corps et âme dans une relation de couple en croyant qu'elle durera. Toutes leurs énergies y passent. Leurs rêves, leurs ambitions et leur argent.

Lorsque la bulle éclate, il ne reste plus rien. Il faut tout reconstruire. Alors pas étonnant que la majorité choisisse la voie qui lui assurera cette fois de conserver ses acquis. Les gens rebâtissent, mais en solo. Et il semble que l'on privilégie le refus de l'engagement comme protection contre tous les risques. L'objectif est de se fabriquer un univers axé sur ses propres aspirations. Rien d'autre. Il faut à tout prix éviter de gaspiller ses efforts. Par conséquent, toute forme d'adaptation à une autre personne est à proscrire. Il est hors de question de négocier quelque arrangement que ce soit pour intégrer les passions de l'autre, car ce serait au détriment de ses intérêts personnels. C'est maintenant l'expérience qui prend la parole. Les émotions ont perdu le contrôle et ne le reprendront peut-être jamais. Cette fois-ci, il n'y a aucun doute. On est convaincu qu'il y aura une fin abrupte. Ce n'est qu'une question de temps. Alors autant maximiser le plaisir et ramener les risques affectifs à zéro. Tout est logique. C'en est effrayant !

Une fois que le cerveau a assimilé cet apprentissage, il suffit de choisir parmi les options offertes. Et elles abondent. Tout est possible pour ceux qui choisissent la voie du plaisir sans compromis. Parfois, ils jouent avec leur jeu ouvert. Mais, plus souvent, le *bluff* prend le dessus. Il est difficile pour le vis-à-vis d'y voir clair. D'autant plus que les deux protagonistes sont souvent totalement ignorants du processus qui se déroule entre eux. Ni l'un ni l'autre n'a pris conscience de la logique qui s'est installée sournoisement dans son esprit. Chacun croit être dans son droit et est convaincu de respecter les règles... les siennes. Il va sans dire que, lorsque tous les deux partagent la même vision d'une relation, le bonheur règne... le temps de passer au suivant. La situation se corse si l'un ou l'autre ne voit pas les choses de la même façon, soit parce qu'il n'a pas appris du passé, soit parce qu'il a pris du recul et qu'il est arrivé à la conclusion que, malgré tous les risques, l'engagement vaut encore le coup.

Je me situe à la croisée des chemins. La réflexion amène énormément de questions. Mais les réponses se font encore attendre. La prudence s'impose. Toutes les options sont encore ouvertes. Chacune comporte son lot d'avantages et d'inconvénients. L'évaluation suit toujours son cours. Heureusement, je garde un esprit clair, mon objectivité est inébranlable. Mais il suffirait de peu pour faire chavirer cet équilibre. Un coup de foudre, une rencontre qui tourne mal. Ce sont des pièges que je dois éviter dans la mesure du possible. Le billet gagnant de la famille est un élément majeur, et je dois traiter celui-ci en conséquence. Les faux pas sont défendus. Dans mon cas, le silence est d'or, la parole est dévastatrice. Inutile d'exposer une tentation supplémentaire à celui qui fait des rencontres féminines son loisir de prédilection.

C'est ici que la famille entre en jeu. En fait, j'irais même plus loin, elle est omniprésente. Ne pas nous préoccuper de l'opinion de nos proches équivaut à nous priver de toute une brigade de petits soldats prêts à aller au front pour nous. À condition, bien sûr, d'avoir pris soin de cultiver les bonnes valeurs. J'ai déjà précisé ma pensée sur le sujet. Tout un livre ! Mais la famille peut aussi agir à un autre niveau. Elle peut jouer le rôle d'intermédiaire ! Quoi qu'il en soit, l'option de passer par les proches pour favoriser les rencontres n'est pas une mauvaise idée. En particulier si la messagère connaît bien les deux parties. Qui de mieux placé pour évaluer les chances de réussite d'un rapprochement ?

D'ailleurs, ce pourrait même être une garantie supplémentaire pour la famille. Il suffit que l'honnêteté et la sincérité du candidat soient bien établies par un membre fiable. La table est ensuite mise pour un repas grandiose. Il ne reste qu'à s'assurer que l'étincelle soit suffisamment forte pour mettre le feu aux poudres. On doit s'attendre à ce que la famille qui voit l'un des siens souffrir lors d'une rupture veuille le protéger contre toute autre blessure. C'est tout à fait naturel, millionnaire ou pas. L'argent n'est qu'un élément supplémentaire à gérer, mais il n'est certainement pas la préoccupation dominante. Ainsi, si la machine déraille et que de l'abus est constaté, le bataillon familial se place en position d'attaque. Il n'intervient que si le drapeau rouge s'agite. Et alors là, tout l'arsenal se déploie! Le clan a une force de frappe phénoménale. Raison de plus pour éviter de le provoquer inutilement. Il vaut mieux bien évaluer ses chances de réussite. D'une manière ou d'une autre, l'exercice d'évaluation est à faire. Mon objectif est exactement le même, contexte familial ou pas. Je dois protéger mes arrières en m'assurant que le candidat soit à la hauteur de mes attentes. Et, par le fait même, il s'assurera les bonnes grâces de l'entourage. Mais tout cela n'est encore que spéculations. Pour l'instant, tout le monde peut dormir sur ses deux oreilles. Encore une fois, le temps est mon allié!

Alors supposons que le candidat passe le test, qu'est-ce qui l'attend? Eh bien, un minimum d'adaptation s'impose! Des deux côtés, il va sans dire. Évidemment, le train de vie peut être très différent. L'aspect matériel est probablement ce qui détonne le plus. Par contre, les valeurs ne seront pas différentes. N'oublions pas que, s'il est là, c'est d'abord parce que je l'ai choisi! Ce qui a pour effet d'éliminer la plupart des irritants. Le reste tient des qualités personnelles. À cet égard, le portefeuille n'y change absolument rien. Une belle personnalité vaut de l'or. Mes compagnes abondent dans le même sens que moi. Cependant, elles ont une légère tendance à me ramener les pieds sur terre très rapidement. Il est bien joli, ce discours, mais si nous parlions de la vraie vie.

— Tu sais, Joanne, tu as la chance de pouvoir voyager régulièrement. Que fais-tu si monsieur ne peut pas te suivre, tu fais une croix sur les escapades? Tu paies pour lui? me demande Francine.

— Je ne crois pas que ce soit nécessaire de toujours voyager ensemble. Et je ne suis pas toujours en voyage ! Pour moi, ce n'est pas un problème, lui dis-je, croyant que la question était bel et bien réglée.

— Pas un problème, hein ? Tu vas devoir y réfléchir plus que ça ! Je suis convaincue que tu vas même vouloir payer pour lui. Jamais ! Ne fais pas ça ! C'est le meilleur moyen de créer une dépendance. Et je te jure qu'elle ne sera pas affective ! Si tu veux avoir la certitude qu'il n'est pas avec toi pour l'argent, il n'y a pas d'autre solution.

— D'accord ! j'en prends bonne note ! lancé-je, en riant.

— C'est sérieux ce que je te dis ! À moins que tu veuilles simplement te payer un petit joujou ! Là, ce serait ton choix, pas le sien ! L'important, c'est que ce ne soit pas toi, le jouet.

— Je ne crois pas que ce danger me guette !

— Autre chose. Les projets de ta famille en Floride ? Et l'hiver que tu détestes ? Lequel des deux va s'adapter ?

— Je crois que c'est le genre de questions auxquelles je ne peux pas répondre pour l'instant. Je ne cherche pas à avoir la solution à tout. Il faudra voir le moment venu !

— Je ne dis pas que tu dois y répondre maintenant. Mais tant qu'à réfléchir, aussi bien tout passer en revue ! Prends une autre année s'il le faut ! termine-t-elle avec un fou rire.

Voilà ! Elle a réussi à passer tous ses messages ! Honnêtement, si nous avions eu cette conversation juste après la rupture, ma réaction aurait été différente. Envisager la vie avec quelqu'un ne faisait pas partie de ma réalité. Toutes ces situations hypothétiques ne m'auraient donc pas affectée le moins du monde. Je l'aurais juste écoutée, sans plus. Pourquoi me préoccuper de ces détails ? Mon seul désir était de me retrouver seule. Alors à quoi bon me questionner sur sa capacité à me suivre en voyage ? Je n'aurais même pas voulu de lui dans le même avion ! Et payer pour lui ? On n'en parle même pas ! En fait, cette discussion m'aurait davantage confortée dans mon besoin d'éviter toute rencontre pour un temps. Après avoir délaissé mon cas personnel pour quelques instants, j'en profite pour m'enquérir de sa propre situation. Avec des propos semblables, je doute que les amours de Francine correspondent à ses attentes.

— Comment ça se passe de ton côté? Est-ce qu'il y a des rapprochements avec ton golfeur? lui demandé-je, en démontrant toute la délicatesse qui s'impose lorsque l'on redoute une déception.

— Bof! c'est un peu compliqué! Plus que je ne le pensais. Notre petit groupe s'organise pour un voyage de golf à Myrtle Beach. J'ai l'intention d'y aller, prendre le large devrait me faire du bien!

— Et lui, est-ce qu'il va avec vous?

— Oui... avec sa femme! Tu vois ce que je veux dire, hein!

— En effet! Vous en êtes où maintenant? Je veux dire, l'attirance est réciproque ou c'est à sens unique?

— La situation a quand même évolué un peu! Je peux sentir l'intérêt de son côté. Pour l'instant, nos discussions privées se résument à quelques minutes avant ou après une partie. Lorsque sa femme ne vient pas jouer, m'explique-t-elle en soupirant.

— Et ça te convient? En fait, ce que je devrais dire c'est plutôt *tu es prête à patienter combien de temps pour avoir ce que tu veux?*

— Je suis en train de réévaluer la situation, parce que, de toute évidence, ce n'est pas comme rencontrer un homme qui est disponible tout de suite, libre comme l'air!

— Tout dépend de toi! Je sais que tu pensais davantage à une relation de couple normale, mais envisages-tu de changer ton fusil d'épaule? Je ne sais pas, irais-tu jusqu'à le voir comme un amant, tout simplement?

– J'y pense. Moi, j'ai toute la liberté du monde. Je ne dois rien à personne. Et je n'ai absolument rien à perdre... sauf mon temps !

– On dirait que tu n'en parles plus comme au début. Je cherche les papillons !

– Tu sais ce qui est bien avec la maturité ? On peut lire entre les lignes beaucoup plus vite ! Un homme peut dire qu'il n'aime plus sa femme et promettre mer et monde à sa nouvelle amie, mais à mon âge le temps presse et il faut savoir ce qu'on veut. Finalement, j'aurais bien aimé me tromper, mais j'avais raison. Vient un temps où ce qui est disponible sur le marché ne vaut pas le coup. Ma liberté, elle, est toujours là quand je le veux. Il n'y a rien de plus fiable ! termine-t-elle avec un large sourire.

On dirait que mes craintes se confirment. Elle n'attendra pas monsieur, j'en suis convaincue. Cette femme vit à son propre rythme depuis des années. Elle réalise ses moindres désirs sans aucune contrainte. Ses nombreux voyages à l'étranger ne respectent qu'un seul horaire, le sien. Elle s'est entourée de compagnes qui partagent les mêmes valeurs qu'elle. Son monde est orienté vers un objectif ultime : ne plus jamais souffrir de l'amour. Pas étonnant que cette réalité est partagée par autant de femmes d'âge mûr. Comme une secte, les principes de base sont bien établis. Plus encore, ils sont immuables.

Et que vient faire la famille dans tout cela ? Elle empêche les cœurs de se dessécher après les ruptures. Elle permet de croire qu'après des disputes, l'amour reprend le dessus. Mais, plus que tout, elle nous rassure lorsque nous prenons le risque de nous envoler. Parce que, si le plancher nous attend, elle y sera pour nous ramener au sommet. Les billets de banque, eux, font un bien mauvais coussin.

Quatrième partie

La prise de position prend forme... tout se précise!

Chapitre 15

Une nouvelle option : le « très très » bon ami !

*L*A SAISON DE GOLF SE POURSUIT. ET AVEC ELLE, LA FOLLE TENTATION d'essayer de nouveaux terrains. Dans tous les sens du terme. En fait, changer de paysage occasionnellement est bénéfique. Ma réflexion occupe toujours une place importante. Par contre, je réussis à l'apprivoiser, à la dompter. Elle n'est plus une mission que je me suis donnée. Elle fait maintenant partie intégrante de ma personnalité. En fait, je suis toujours sur le même radeau, mais au lieu de subir le courant, j'ai vaguement le sentiment d'avoir repris le contrôle. Pas totalement, mais je m'amuse à observer mon environnement pour en tirer le maximum. Je trouve des bouts de bois ici et là. Cela m'aide à orienter l'embarcation dans la bonne direction. Elle ne répond pas toujours comme je le voudrais, mais j'ai du plaisir à essayer. Je crois que c'est une belle image. Le secteur des rapides est derrière moi. Ce que je vois devant me rassure. Tellement, qu'une envie particulière me prend. Je désire m'arrêter un moment pour patauger et m'amuser dans ce secteur calme. Il m'attire comme un aimant. Il y a peut-être quelque chose d'exceptionnellement palpitant à découvrir ici. Est-ce que de nouvelles sensations m'y attendent ? C'est plus fort que moi, je veux savoir.

Mon départ est réservé. Trois inconnus m'accompagnent. Je suis seule et déterminée à profiter de ce que cette magnifique journée m'apportera. Le quatuor est vraiment intéressant. Deux retraités qui jouent ensemble depuis nombre d'années. À eux seuls, ils réussiraient à réchauffer l'ambiance d'un igloo! Une attitude positive est toujours grandement appréciée au golf. L'autre joueur est un homme d'âge mûr, excellent golfeur. Mais je dois avouer très honnêtement que son jeu m'impressionne moins que son physique! Des yeux bleus qui me rappellent la mer des Caraïbes. Juste envie d'y plonger. Dans la mer, bien sûr! Quoique... Et une attitude qui correspond exactement à ce à quoi je m'attends d'un homme «équilibré». Il n'en faut pas plus pour que la lumière rouge clignote violemment. «Danger!» est inscrit en lettres immenses. Mais cette fois, je ne fuirai pas. Il faut terminer la partie! Je suis curieuse de voir jusqu'où je pourrai aller.

Le contact s'établit comme un éclair. C'est foudroyant! J'ai déjà entendu dire que la chimie corporelle y était pour quelque chose dans ces situations aberrantes, sinon, qu'est-ce qui pourrait expliquer un phénomène semblable? La discussion entre nous dépasse rapidement le stade superficiel. Il est un homme d'affaire et il me raconte son cheminement particulier. Puis viennent les détails sur son historique amoureux. Ensuite, entrent en jeu les compliments qui fusent de partout! Il semble que mes jambes l'impressionnent! Du moins, c'est ce qu'il répète à profusion durant la partie. Évidemment, c'est flatteur! Grâce à la maturité de la quarantaine et à énormément d'effort, je réussis à garder les pieds sur terre. De mon côté, je me limite à le complimenter sur son élan de golf. Pour l'instant.

– Es-tu pressée de partir après la partie? On pourrait prendre un verre tranquillement sur la terrasse! Il me semble qu'on a tellement de choses à se partager! lance-t-il en attendant son tour sur le départ du douzième trou.

– C'est une très bonne idée! Tu pourrais me donner des détails sur tes projets! Surtout le livre que tu veux écrire!

Cette fois-ci, ni mon cerveau ni ma bouche ne s'acharnent à dire non. Toute ma petite personne est enfin d'accord ! Plutôt rafraîchissant comme réaction. Enfin ! Je sens que je passe à une autre étape. Les sentiments se mélangent. Pendant un instant, je suis prête à franchir les montagnes tellement l'énergie me pousse vers l'avant. La seconde suivante, un nuage discret vient faire de l'ombre à mon élan. Il n'est que passager. La preuve est qu'il se dissipe immédiatement. Je suppose que c'est pour me rappeler que la prudence s'impose. Qu'y a-t-il à craindre ? Je suis devant un délicieux verre de vin blanc et le temps est magnifique. Stéphane est devant moi. Il semble, lui aussi, flotter sur le même nuage que moi. C'est incroyable ! Nous voyons les choses sous le même jour ! À mesure que ses propos prennent de la profondeur, les similitudes s'enchaînent.

— Tu sais, Joanne, je suis passé à travers quelques échecs amoureux et j'ai compris une chose. Les coups de foudre, ça ne mène jamais bien loin. C'est juste bon à se perdre dans l'autre. On disparaît carrément. C'est sûr, on est prêt à tout. L'autre est parfait, aucun défaut ! C'est inévitable, lorsque la passion domine, l'un des deux disparaîtra dans l'univers de l'autre. Et là arrivent tous les problèmes liés au déséquilibre, me raconte-t-il en savourant tranquillement sa bière froide.

— D'accord avec toi ! C'est l'une des raisons pour lesquelles je prends une période de pause. Je sais que ce n'est pas une garantie de succès, mais de toute façon, j'en ai besoin.

— Tu as déjà beaucoup plus de maturité que celles que j'ai rencontrées, tu sais. Tu es à l'écoute de tes besoins. Souvent, après une rupture, on est complètement déconnecté. Tout ce qu'on veut, c'est remplir le vide. La solution facile, quoi ! Une béquille qui fait oublier la blessure.

On dirait que je m'entends réfléchir ! Pas étonnant que ses paroles viennent me chercher. Ce sont les miennes ! Est-ce possible que deux personnes se rencontrent au moment où elles en sont au même point dans leur évolution ? Pourquoi pas. Peut-être est-ce la récompense pour avoir pris tout mon temps. Il doit certainement exister un bénéfice à l'attente. Mes mots semblent sous-entendre que j'ai attendu quelque chose ou quelqu'un pendant tous ces mois de réflexion. Mais c'est loin d'être la réalité. La barrière autour de moi, personne ne l'a installée à ma place. Je l'ai construite de mes propres mains et à la sueur de mon front. Exactement comme à l'époque du Moyen Âge, où les murs des forteresses n'étaient jamais suffisamment hauts pour se protéger de l'envahisseur. Les troupes ennemies, dans mon cas, étaient toutes celles qui oseraient mettre le pied trop près de mon petit univers. C'était une scène de crime. Rien ne devait être déplacé de son emplacement initial. Je devais d'abord étudier chacun des éléments et déterminer sa contribution au drame. Plusieurs ont été éliminés dès le départ parce qu'il était flagrant que leur impact était mineur. On pourrait croire que le gros du travail a été fait. Maintenant, je devrais avoir une bonne idée de la conclusion qui émane de ces longs mois de recul. Peut-être. Mais j'aurais plutôt tendance à croire, au contraire, que tout se joue au niveau des quelques éléments qui restent. Après tout, ils ont résisté au processus d'examen jusqu'à la fin, signe évident de leur complexité. Il serait dommage de tout gâcher en sautant des étapes cruciales. Mon objectif est tout près, ne nous emballons pas !

C'est exactement ce dont j'essaie de me convaincre en écoutant mon bel homme d'affaires me parler de sa philosophie de la vie. *Tu dois résister, du calme !* Quel charme incroyable ! S'il n'était question que du physique, j'arriverais beaucoup plus facilement à mettre un frein à mes hormones affolées, mais qu'il réussisse à verbaliser aussi facilement ce que je m'efforce de soupeser depuis près d'une année relève presque de la fiction. Autrement dit, je m'évertue à essayer de lui trouver un défaut, un petit accroc, n'importe quoi. Mais il n'y a rien à l'horizon. Tout est parfait.

– Je suis convaincue que ton livre sur la dynamique des couples aura un succès fabuleux ! Je crois que tu as trouvé la bonne façon de présenter les choses. Juste à t'écouter, on voit que tu as mis le doigt sur les irritants dans une relation, dis-je en analysant ses propos.

— Pour qu'un couple fonctionne, il faut absolument qu'un équilibre s'installe. Bien sûr, il y a beaucoup de relations totalement dysfonctionnelles qui marchent. Tout simplement parce que certains types de faiblesse s'attirent. Alors leur équilibre, c'est le déséquilibre ! Chacun y trouve son compte et comble son propre manque chez l'autre. Ce qui crée l'illusion de bonheur, continue-t-il en sirotant sa bière.

— C'est stupéfiant de voir à quel point tout a l'air si simple ! Dire que j'y réfléchis depuis des mois ! Comment as-tu compris ça ?

— J'en ai eu assez des relations qui ne menaient à rien. J'ai fait comme toi, j'ai pris une pause et j'ai réfléchi. J'ai réalisé que, pour rencontrer quelqu'un d'équilibré, il faut d'abord l'être soi-même. Parce que si on a un manque affectif ou un trouble de comportement, on effraie les gens normaux en quelque sorte. Alors j'ai travaillé là-dessus, ajoute-t-il en me regardant dans les yeux... Ouf !

— Et quelle est ta recette ? Pour trouver l'équilibre, je veux dire.

— J'apprends à répondre non, tout simplement. Parce qu'on a souvent tendance à vouloir plaire à l'autre à tout prix, on en vient rapidement à oublier nos propres priorités. Et on se retrouve à accepter de faire ce qui va totalement à l'encontre de notre bien-être. Tout ça prétendument au nom de l'amour. Il faut se secouer et dire non. Si l'autre personne ne comprend pas, c'est parce qu'elle n'était pas la bonne. Ou bien elle n'est pas rendue là encore. Mieux vaut le savoir au départ. On évite de s'acharner à faire fonctionner une machine mal ajustée !

— Je crois que c'est ce que je dois découvrir à la fin de ma réflexion ! Tu m'enlèves les mots de la bouche !

– Tu te sous-estimes, ma belle! Tu as déjà compris tout ça! Juste à discuter avec toi, je m'en rends compte. Tu n'as rien à voir avec les autres. Vraiment, complètement différente! Est-ce que je peux te dire quelque chose? me demande-t-il en s'approchant doucement de moi.

– Bien sûr que oui! dis-je, en retenant pour moi-même la petite phrase qui me traverse l'esprit: *Demande-moi n'importe quoi, ou presque!*

– Tu vois, si j'étais comme avant, je te ferais la cour immédiatement! Et là, on irait souper au restaurant. On sait très bien comment ça se terminerait! Mais je ne le ferai pas. Justement parce que tu m'intéresses au plus haut point! J'ai une peur bleue qu'on gâche tout en allant trop vite. La seule façon de développer quelque chose de solide entre nous deux, c'est de commencer par être amis. Il faut résister à la tentation de la romance. On pourrait aller jouer au golf ensemble, se payer de bons repas au restaurant. Prendre le temps de se connaître, qu'en penses-tu? demande-t-il, ses yeux incroyables toujours rivés sur moi.

– Oui, je veux bien! Ça me convient totalement, je ne me sens pas prête à m'impliquer dans une relation tout de suite, répondis-je, en retenant un petit sourire lorsque cette pensée m'effleure: *Heureusement que tu me retiens!*

– Qu'est-ce que tu dirais de commencer par venir faire un tour à mon commerce cette semaine? On pourrait jaser en prenant un bon café!

Je ne réponds pas. À la place, un énorme sourire s'affiche sur mon visage. Pour lui, c'est un «oui» très évident. Pour moi, c'est la même chose. Je crois. Pourtant, aucun son n'est sorti. Un vieux réflexe du passé, probablement. Ou bien c'est une porte de secours que je garde discrètement cachée au fond de toutes les pièces maintenant. Quoi qu'il en soit, j'ai bel et bien l'intention de m'y présenter. Cela permettra en quelque sorte de sceller notre accord. Je suis totalement dépassée par ce qui m'arrive. Même dans mes rêves les plus fous, je n'aurais pu souhaiter pareille situation. C'est exactement ce qu'il me faut. Un homme parfait physiquement. Sa façon de voir la vie est mature et responsable. Mais surtout, l'accent est mis sur le respect de soi et de l'autre. Je dois l'avouer, il manœuvre avec un extrême doigté pour réussir à m'entraîner aussi loin ! Toujours me montrer que je suis libre. Que toute décision d'aller plus loin m'appartient. Aucune pression de sa part, afin que je ne ressente pas un effet d'étau sur moi. Même en se quittant, pas de rendez-vous fixe, juste une proposition. Il n'en revient qu'à moi d'accepter ou pas. Elle est certainement magistrale, cette façon de procéder. C'en est presque de la manipulation ! Mais j'accepte pleinement de coopérer. Il prend un train dans ma direction. Cette fois, je serai du voyage !

Quel revirement de situation ! J'en suis la première étonnée ! Est-ce que je perds le contrôle ? Moi, la célibataire millionnaire qui ne manquait aucune occasion de s'éclipser discrètement. Où est-elle, ma fuite, à présent ? Peut-être est-ce un signe que, cette fois-ci, j'ai trouvé un candidat avec tout le potentiel nécessaire pour faire un bout de chemin vers le bon cap. Mon inconscient doit savoir ce qui est bon pour moi. Je suis convaincue qu'il me guide vers la bonne voie. Rien n'arrive pour rien. C'est cela. En ce moment même, le destin est en train de tracer ma route. Tout se joue à cet instant précis. L'évidence me saute aux yeux, j'ai quelque chose à vivre avec cet homme, sinon, j'en serais déjà loin. J'accepte de suivre mon destin, sans aucune garantie de succès. De toute manière, je ne peux pas attendre la promesse d'une fin heureuse pour bouger. D'autant plus qu'il n'est question que de parties de golf et de soupers au restaurant. Mais pourquoi alors ai-je l'impression que je m'apprête à négocier un virage majeur ? Du calme, voyons !

Lorsque je m'installe dans la voiture, mon estomac est aussi noué que les cordons de ma bourse avant la loterie ! Ce n'est pas que je me questionne sur le bien-fondé d'aller le rejoindre dans son entreprise, je suis absolument convaincue que je dois y aller. C'est juste que j'ai perdu l'habitude des papillons avant de rencontrer quelqu'un! Dès que j'ouvre la porte d'entrée, il m'aperçoit. Comme s'il n'y avait que nous deux dans la pièce, il se précipite vers moi et me serre tendrement dans ses bras. «Je suis vraiment heureux que tu sois là! J'avais tellement peur que tu ne viennes pas!» chuchote-t-il à mon oreille. J'en déduis que mon sourire n'était pas aussi convaincant que je le croyais. Ah! mais c'est vrai, je lui avais confié mon étrange façon d'agir lors de notre intense discussion. Cela explique qu'il s'attendait à une fuite en règle. Heureusement, il ne me demande pas pourquoi. J'aurais du mal à lui expliquer. Il faudrait que j'y réfléchisse un jour. Nous nous installons tous les deux à une table, avec le café qu'il m'a promis. Il signifie beaucoup plus qu'un simple liquide dans une tasse. Il représente le contrat entre deux parties qui acceptent de se connaître davantage. Tous les deux, nous sommes maintenant disposés à nous consacrer un peu de temps. Objectif: développer une solide amitié, basée sur le respect de l'un et de l'autre. Et, qui sait, ces fondations donneront peut-être lieu à une relation plus sérieuse, qui aura toutes les chances d'évoluer vers l'équilibre parfait d'un couple. Nous sommes tous deux resplendissants de bonheur! Nous voyons dans les yeux de l'autre la perle rare tant convoitée. Nos projets se précisent. Les dates se réservent dans les agendas. La chimie est définitivement présente. On peut déjà sentir le bouillonnement de la réaction qui s'amorce. Et la chaleur intense qui s'en dégage.

Notre première partie de golf amicale est une réussite totale. La voiturette que nous partageons est le théâtre d'un rapprochement évident. Au point où nos compagnons nous prennent pour un nouveau couple. Notre jeu est à la hauteur. Rien d'étonnant puisque le fait d'être aussi décontracté délie les muscles. Tout le corps s'en ressent. À la fin de ce parcours idyllique, nous avalons un petit casse-croûte. Nous nous quittons en confirmant le prochain rendez-vous sur un autre terrain de golf. J'attends avec impatience cette rencontre. Mais je ne peux m'empêcher de me questionner. Combien de temps peut être nécessaire à des amis pour constater que les bases sont suffisamment solides pour passer à l'étape du couple? Le temps le dira, enfin je le suppose. Lorsque le moment sera venu, je le sentirai. En attendant, j'établis mes priorités au moment présent. J'oublie les questions et je reporte la réflexion.

L'après-midi s'étire tranquillement. Le bruit des conversations environnantes est léger et les coups de départ se font plus rares maintenant. Une autre partie terminée entraîne de merveilleux instants à partager nos façons de voir la vie. J'adore l'écouter parler, son raisonnement m'interpelle. La situation financière s'invite parmi les nombreux sujets que nous abordons. Il me confirme qu'il n'est pas dans le besoin. En fait, son train de vie affiche tout à fait cette aisance. À mon tour, je lui confie que je ne suis pas à la poursuite de son portefeuille. Sans plus. Les détails viendront suffisamment vite quand j'aurai choisi le moment. Il n'en faut pas plus pour nous rassurer, car aucun des deux n'en veut à l'argent de l'autre. C'est le genre de préoccupation qui s'impose après la loterie. D'autant plus que cette règle fait partie du «top ten» des «obligations des nouveaux gagnants». Les considérations à propos de l'argent se dissipent rapidement pour faire place à notre sujet préféré : les relations entre homme et femme.

— Je crois important que chacun ait une certaine liberté dans un couple, sinon, les vieux réflexes reviennent à la vitesse de l'éclair et, encore une fois, ça mène à l'échec, dit Stéphane.

— De toute façon, je crois que je serais incapable de m'oublier encore une fois. J'en ai suffisamment souffert, je ne veux plus repasser par là.

— Par exemple, ce serait impensable que tu te prives de voyager parce que ton ami n'a pas le temps disponible pour te suivre. Ce serait même très injuste. Il doit accepter, point final, ajoute-t-il, répondant ainsi à l'une de mes interrogations très concrètes.

— Il faut quand même une sacrée dose de maturité pour accepter ça. Ce n'est pas pour tout le monde, Stéphane !

– Moi, je peux comprendre. Tu vois, je vis un peu une situation semblable. Travailler dans le public est très exigeant. Alors, régulièrement, j'éprouve le besoin de me retrouver seul. Ce n'est pas un caprice, c'est nécessaire pour refaire le plein d'énergie. Donc, il m'arrive de partir seul en vacances. Ça non plus, ce n'est pas accepté facilement!

– J'ai l'impression que, vivre dans un couple équilibré, ce n'est pas si facile que ça. La ligne est mince entre vivre chacun pour soi et respecter l'autre, qu'en penses-tu?

– C'est pour cette raison que les bases sont importantes. La passion fait qu'on ne peut pas accepter d'être séparé de l'autre, même s'il en a besoin. Mais si une solide amitié existe entre les deux, on dirait que la logique reprend ses droits! lance-t-il en riant.

Il me semble que ces échanges me donnent de la matière à réflexion pour une autre année! En fait, j'abonde dans le même sens que lui sur toute la ligne. Mais je ne peux m'empêcher de penser à ma réaction si mon amoureux me disait: «En passant, chérie, je pars pour la Jamaïque... tout seul, parce que ça va me faire du bien!» Honnêtement, je ne suis pas certaine que je le regarderais partir avec le sourire... et ma bénédiction! Je ne suis peut-être pas encore une personne parfaitement équilibrée. Au fond, il a raison. Comment pourrais-je partir pour la Floride quelques semaines sans mon compagnon et, en même temps, lui refuser de quitter pour la Jamaïque en solitaire? Dans un couple en équilibre, chacun doit y trouver son compte. Non, vraiment. Cette notion n'est pas encore acquise pour moi. Parce qu'en fait, moi, je n'exige pas de partir seule. Si le temps le lui permet, qu'il me suive! Ce qui fait toute la différence!

Mais je n'ai aucunement l'intention de laisser des suppositions faire de l'ombre à mon petit bonheur. D'autant plus qu'il n'est question que de situations hypothétiques. Ils sont encore bien loin, les voyages à deux. En solitaire, je veux dire, mais en couple. Définitivement, il semble que je digère bien mal cette nouvelle notion. Il est probable qu'en le connaissant davantage, je comprendrai mieux ce qu'il veut dire. Ce n'est peut-être pas tout à fait le sens de ses propos. J'ai la fâcheuse habitude de sauter bien vite aux conclusions. En fait, j'en suis convaincue. J'ai mal interprété. La suite des choses me donnera raison. Et je rirai d'avoir un instant pensé qu'il voudrait aller seul en Jamaïque !

Toutes ces pensées aberrantes s'envolent instantanément lorsqu'il aborde le sujet du souper. La terrasse du club est déserte. Il n'y a plus que nous deux. Quinze minutes plus tard, nous nous retrouvons dans un bistro des plus chaleureux. L'ambiance est feutrée et se prête magnifiquement aux confidences. La discussion devient tout naturellement beaucoup plus intime. Il prend mes mains et les caresse en parlant doucement. Je ne peux m'y méprendre, le stade des amis semble laisser place à autre chose. Son regard est intense et ses yeux bleus miroitent sous l'effet de la bougie qui vacille entre nous. Il me semble que la chaleur monte d'un cran. J'aimerais que cette soirée ne se termine jamais. Je dois partir, et ce, pour toutes sortes de raisons. Il se fait tard. Je suis fatiguée. Ah oui ! c'est vrai, je suis un peu déroutée. Alors, pour rendre les choses beaucoup plus limpides, il m'embrasse tendrement avant de me laisser partir.

Mais quelle journée ! Un jeudi qui sort vraiment de l'ordinaire ! Je jongle avec toutes les pensées qui m'envahissent. Les contradictions prennent forme l'une après l'autre. Après m'être donné la peine d'établir clairement les bases de nos fréquentations, voilà que soudainement tout devient nébuleux. Est-ce vraiment le moment décisif ? En sommes-nous déjà à ce point ? Il me semble que je voyais beaucoup plus de temps devant moi. À mon avis, ce que nous vivons a toutes les allures de la passion, l'amitié demande un peu de patience. Quoi qu'il en soit, j'ai du temps pour réfléchir à la question. Notre prochaine partie de golf est planifiée pour lundi. Nous aurons tout le temps d'en discuter. C'est d'ailleurs l'une de ses principales qualités, je suis à l'aise d'aborder tous les sujets avec lui.

Le samedi, c'est jour de voile pour moi. Il fait un temps magnifique, alors j'en profite pour téléphoner à mon beau Stéphane. Juste pour lui dire que, si le goût lui en prend, il pourrait venir me rejoindre à la marina pour un petit verre sur la terrasse. Le fleuve est de toute beauté. J'essaie à plusieurs reprises, même les messages textes que je lui envoie n'obtiennent aucune réponse. Bon, peu importe. Il m'a déjà expliqué que l'achalandage était à son maximum pendant le weekend. Une personne équilibrée n'en fait pas tout un plat! On se verra lundi, tout simplement.

Après avoir passé les derniers jours à réfléchir à la tournure que semble prendre notre relation, je suis particulièrement heureuse de me retrouver sur le terrain de golf. Lui aussi. Il est plus affectueux que jamais et les gestes de tendresse abondent. Je patiente jusqu'au souper pour lui faire part de mes interrogations. Encore une fois, l'ambiance est parfaite pour la complicité. Je n'ai pas à aborder le sujet. La conversation dérive tout naturellement vers les détails de notre relation.

— Tu sais, ma belle, je passe de merveilleux moments avec toi! À tous les points de vue, on se rejoint. Même financièrement! Je me sens vraiment bien, me confie-t-il, en me regardant droit dans les yeux.

— Moi aussi, Stéphane! Je trouve qu'on fait une belle équipe! J'aurais aimé que tu passes à la marina samedi, mais je n'ai eu aucune réponse.

— Eh bien, en fait, le weekend, je le garde pour moi. Ça bouge beaucoup dans mon commerce et j'ai besoin de me détendre en soirée, répond-il, me laissant sur l'impression que même une réponse demandait trop d'effort.

— Oui! je comprends...

— J'ai réfléchi à nous deux! Je crois qu'on est mûr pour passer à une autre étape!

— C'est-à-dire?

— Tu peux sentir comme moi que l'attirance physique est intense entre nous deux. Tu es d'accord avec moi ?

— C'est possible…

— Alors, qu'est-ce qui nous empêche d'être de très très bons amis ? Sexuellement parlant…

— Pour approfondir davantage notre amitié, si je comprends bien ?

Millionnaire. Célibataire. Et bouche bée !

Chapitre 16

Terre en vue!
L'odyssée s'achève

COMME QUOI CE N'EST JAMAIS SIMPLE! SI ÇA L'ÉTAIT, QUI AURAIT besoin d'une année complète pour réfléchir après une rupture? Il semble que la vie veuille absolument me prouver qu'éventuellement une réflexion finit toujours par prendre tout son sens. C'est justement en vue d'être préparée à une situation comme celle-ci que j'ai pris le temps nécessaire. Mais il semble que ce ne soit pas encore suffisant. Parce que la réponse à cette généreuse proposition ne se fait pas de façon automatique. Aussi attirante soit-elle, cette offre mérite d'être analysée sous toutes ses coutures. Au cours de l'année qui vient de s'écouler, la moindre intention à mon égard décelée chez un candidat me faisait prendre mes jambes à mon cou. Ai-je vraiment besoin de préciser que celle-ci dépasse tout ce qui m'a été gracieusement offert? Et de loin! Alors, pourquoi suis-je encore là? Il y a certainement quelque chose qui me retient, qui m'empêche de déguerpir en courant. Faire un bout de chemin avec Stéphane ne serait pas le pire des supplices! Je ne vois aucun lien qui m'attache. Il me semble que je suis libre comme l'air. La décision m'appartient, c'est un fait.

En d'autres mots, je suis maître de ma destinée. C'est ce qu'on dit, n'est-ce pas? Donc, si je ne mets pas les voiles, c'est que je suis disposée à rester. Au fond, est-ce que cette suggestion de passer à l'acte est si étonnante? C'est la suite logique de tout rapprochement entre deux personnes le moindrement compatibles. L'attirance physique qui fait son œuvre. Alors, oui, je m'y attendais. Ce n'était qu'une question de temps. Depuis quelques semaines, nous avons fait exactement ce que nous voulions. Notre objectif était des plus simples. Nous connaître davantage, vérifier quelles étaient nos attentes respectives l'un envers l'autre et construire des liens d'amitié solides. Tous ces moments privilégiés que nous avons vécus ont fait en sorte qu'une grande complicité s'est développée. Le fait de partager notre passion y est pour beaucoup. Le golf nous a unis, il a établi une base. À partir de là, il suffisait d'étendre les tentacules du désir pour explorer le reste de la vie de Stéphane.

Et c'est justement en examinant les détails de la personnalité de l'autre qu'il devient plus facile de se faire un portrait clair de ce qui nous attend. Parce qu'un élan de golf en dit bien peu sur les préférences sexuelles d'un joueur! Voilà pourquoi, dans mon esprit, le recul prend tout son sens. Je veux être en position de faire des choix éclairés et de les assumer pleinement par la suite. Mon beau Stéphane a tout ce qu'il faut. Il est financièrement autonome, il joue au golf de façon magistrale et ses yeux sont… incroyables! Mais, plus encore, le travail minutieux qu'il a fait sur lui-même a porté ses fruits. Son introspection lui a révélé de nouvelles règles à suivre pour atteindre son idéal. Il en est arrivé à maîtriser la notion de «personnalité équilibrée». Le degré de maturité qu'il a atteint lui permet de déceler rapidement celles qui ne correspondent pas à son idéal. Au lieu de multiplier les mauvais choix de compagnes, il s'astreint à un processus de sélection rigoureux. En soi, c'est une réussite impressionnante. Bien peu de gens peuvent se vanter d'avoir cheminé à ce point.

** **

Notre conversation suit son cours. Une fois sa proposition lancée, son regard ancré dans le mien, il poursuit. Il sait très bien que je ne lui sauterai pas dans les bras sur cette simple invitation ! Et il n'attend pas de réponse sur-le-champ. Nous communiquons très bien tous les deux, même les sujets épineux ne nous effraient pas. Il est parfaitement conscient qu'il doit maintenant s'expliquer. Et je vais l'écouter.

— Écoute, Joanne, j'y ai beaucoup réfléchi avant de t'en parler. Je ne veux surtout rien gâcher, j'aime trop ce qu'on a développé. Et c'est justement parce que j'aime notre façon d'évoluer que je prends les devants. Tu le sais comme moi, on est rendus là. C'est l'étape suivante, elle va nous permettre de nous connaître davantage. L'intimité révèle beaucoup de choses sur une personne. D'autant plus que l'attirance est extrêmement forte entre nous deux. Et, plus tard, cela nous permettra peut-être de penser à une relation de couple.

Un ami sexuel, en quelque sorte. Je savais que cette option s'offrirait à moi éventuellement. J'irais même plus loin, cette pensée m'avait effleuré l'esprit à plus d'une reprise. Tout simplement parce que c'est l'une des avenues possibles pour tous les célibataires. En particulier pour les plus de quarante ans. En fait, c'est la solution à tellement de problèmes potentiels qu'elle apparaît parfois comme l'unique façon d'envisager les relations entre hommes et femmes. Stéphane l'explique très bien. C'est un outil de choix pour apprendre à connaître une personne. On peut ainsi la voir sous un jour différent. Par la suite, il est plus facile pour l'un et l'autre d'opter ou non pour une relation de couple sérieuse. Il a raison. Dans le contexte de notre parcours, c'est la suite logique. L'étape incontournable avant de penser aller plus loin. Je suis tout à fait d'accord avec lui et je comprends très bien son raisonnement. Je l'admets, ses explications me convainquent de sa sincérité. Son honnêteté envers moi ne fait aucun doute.

Alors que, d'une voix calme et posée, il finit d'exposer ses arguments, son regard intense ne bronche pas. J'ai tout écouté attentivement. Chaque mot, chaque phrase. J'ai hoché la tête à plusieurs reprises. Signe évident que je comprenais très bien ce qu'il voulait dire. Sa logique est stupéfiante. Elle l'est depuis que j'ai fait sa connaissance. C'est d'ailleurs sa façon de penser qui m'a d'abord attirée chez lui. Toujours ce regard. Il attend ma réponse.

Je prends quelques secondes. La réflexion, je l'ai déjà faite. Elle est toute fraîche dans mon esprit. Comment aurais-je pu faire autrement? Cette option, celle du «très bon copain», fait partie des nombreux choix qui sont possibles. Pour nous, les célibataires, c'est une possibilité qui n'a pas d'égal pour préserver notre précieuse liberté. Elle permet à la fois de combler nos besoins d'intimité tout en conservant intacte notre indépendance. Pour tous ceux qui portent encore la marque des relations précédentes, le couple traditionnel peut être une utopie. Rechercher la perle rare, on le sait, comporte son lot d'essais et d'erreurs magistrales. Un trou noir qui peut drainer l'énergie vitale d'une personne sans qu'elle en soit consciente. Encore une fois, je sais de quoi je parle. Est-il étonnant que l'ami intime trouve une place de choix dans l'univers de certaines femmes? En particulier si des liens d'amitié et une belle complicité se développent.

Et si j'ajoutais une donnée supplémentaire à l'équation. Le signe de dollar! Il vient sans contredit s'inviter dans la réflexion. Et il faut me croire, ce n'est pas banal! J'ai vécu l'expérience d'un divorce dans des conditions financières difficiles, avec deux jeunes enfants. Avant le billet gagnant. Inutile de dire que cette fois-ci, c'est différent. «Jusqu'à quel point?» m'a-t-on déjà demandé. Ce sont deux planètes complètement à l'opposé. Plus encore, dans des galaxies séparées par des années-lumière. Vivre une rupture dans des conditions précaires entraîne inévitablement des sacrifices. Des loisirs peuvent disparaître du quotidien pour laisser place à l'essentiel. La notion de luxe est revue à la baisse, les limites s'établissent à un tout autre niveau. Nos petits plaisirs fondent au soleil dans le but de laisser toute la place à ceux des enfants. La priorité devient le bien-être de la petite progéniture. Les marques de sacs à main semblent bien superficielles. Ce portrait peut paraître noir, pourtant il n'en est rien. Le bonheur était toujours présent, puisqu'il est question d'attitude et non de compte bancaire. D'ailleurs, j'en ai témoigné dans un livre précédent !

La situation d'aujourd'hui correspond à une autre réalité. Ce que je suis en train de vivre est une expérience totalement nouvelle. Être célibataire n'a rien de particulier. Cependant, le qualificatif de millionnaire modifie le portrait de façon ahurissante. Attention, il ne garantit pas toujours le bonheur, sinon, tous les millionnaires seraient heureux. Mon attitude positive sera toujours ce que j'ai de plus précieux et il n'y a pas de coffre-fort suffisamment fiable pour la protéger. Elle doit être portée tous les jours, et bien l'entretenir est un gage de succès. Cela étant dit, ces derniers mois vécus en solo m'ont paru plus que satisfaisants. C'est précisément en cette matière que l'argent entre en jeu. Les sacrifices n'ont plus leur raison d'être. Le luxe est à ma portée. J'ai toute la disponibilité pour mes loisirs préférés. Mon temps est à ma disposition et je l'utilise à ma convenance. Et des amies autour de moi partagent ces mêmes privilèges, enrichissant par le fait même ma vie sociale. J'ai l'impression d'être enfin maître de cette fameuse destinée, comme le disent certains. Que demander de plus ?

J'arrive donc au point final de ma longue réflexion. Tout est parfait dans mon univers personnel. Mais où doit se situer la relation de couple dans ce portrait sans faille ? De deux choses l'une. Ou bien elle n'a tout simplement pas sa place et l'option de Stéphane est celle qui me convient. Ou alors je prends le risque de croire encore à l'amour véritable entre deux personnes et je refuse l'offre. C'est la réponse à cette question que je dois trouver. Lentement, le billet gagnant refait surface dans mon esprit. Et avec lui, une étonnante révélation s'offre à moi, comme un cadeau. Ma condition de millionnaire me frappe comme un mur de brique. Il n'y a aucun doute, ces millions font une énorme différence. En fait, j'ai vécu des années en croyant au mignon petit couple parfait. Désormais, j'ai envie de voir autrement. Plus encore, j'en ai les moyens et aujourd'hui, je peux l'affirmer haut et fort. Après avoir enfin renoncé à mes lunettes roses, je peux voir la réalité bien en face. Les millions me donnent maintenant le choix.

C'est exactement le portrait de la situation. Tous les choix s'offrent à moi. L'argent donne cette liberté. Bien sûr, il est beaucoup plus facile de rejeter les hommes qui ne correspondent pas au profil que je recherche. Parce que je ne ressens aucune obligation à remplacer celui qui partageait les dépenses. L'autonomie financière permet de sélectionner soigneusement les candidats. Seuls ceux qui peuvent suivre la cadence seront retenus. À moins de rechercher absolument les complications. Mais, en fait, est-ce que l'argent fait vraiment une différence dans ce domaine ? Mon cœur crie haut et fort qu'il ne le faudrait pas. Chaque célibataire devrait avoir suffisamment confiance en lui ou en elle pour se permettre de choisir. Comme si un million dormait dans son compte bancaire !

Par contre, le vrai choix dont il est question n'est pas celui-là. Il faut pousser plus loin la réflexion. Le vrai choix n'est pas de pouvoir décider quel genre d'homme je désire. Le vrai choix est de savoir si je veux vraiment quelqu'un dans ma vie, point final.

Lorsque je dispose tous ces éléments à leur place, le puzzle prend soudainement forme. La liberté totale du célibat d'un côté. Le couple harmonieux et complice de l'autre. Au centre, le compagnon pour le lit et aucun compte à rendre. Chaque pièce représente un idéal, en fonction du but recherché. Stéphane est le morceau le plus important. L'élément qui relie tous ces fragments disparates pour en faire un tableau compréhensible et clair. Je peux presque y lire mon avenir ! Ce bel homme en face de moi représente un idéal, un candidat parfait.

— Je suis désolée, Stéphane. Je comprends ton raisonnement et il est tout à fait légitime. Mais le mien est différent. Je ne couche pas avec mes amis. Juste avec mon amoureux. Le bout de chemin que j'ai fait avec toi, je l'ai apprécié au plus haut point. Je crois que nos routes se séparent ici.

C'est ainsi que je dis au revoir à celui qui avait beaucoup à m'offrir. L'amitié, le sexe et une hypothétique relation de couple. Celui avec qui les weekends et les vacances se vivent en solo. Le rencontrer a été l'une des plus belles choses qui me soient arrivées. Parce que, maintenant, je sais que je vais remettre mes lunettes roses. Je veux croire au couple complice et sincère. Juste y croire.

Cet épisode marque la fin officielle de ma période de réflexion. À partir de maintenant, je sais exactement ce que je désire. Je veux tout, ou rien. Je suis célibataire et cela me convient parfaitement. Si le hasard fait en sorte de me présenter l'amour sur un plateau d'argent, je l'accepterai. En remerciant, bien sûr, la providence pour ce cadeau.

En fait, il semble que le hasard et la providence soient une seule et même personne. Plus incroyable encore, cette personne possède un nom et elle se matérialise sous la forme de ma sœur. Cette complice de toujours s'est rapidement donné comme mission de me mettre au pas. En matière de réseaux sociaux, plus précisément. Sous prétexte de permettre à mes connaissances de communiquer avec moi plus facilement, elle m'initie aux rudiments de base. Me voilà donc, bien malgré moi, affublée d'un profil et d'un fil de nouvelles ! Seule condition : je me permets de limiter le nombre d'amis à un strict minimum. Pas question d'en faire un concours de popularité. Je tiens à préserver ma nature un peu sauvage, je n'y peux rien ! Rapidement, la page se garnit de quelques visages familiers. Certains que je fréquente régulièrement, d'autres que je n'ai pas la chance de voir aussi souvent que je le souhaiterais. Occasionnellement, j'y jette un œil. Pour être honnête, je ne suis probablement pas l'amie la plus divertissante chez mes contacts ! Et le peu de temps que j'y investis rend très improbable la communication en temps réel. Mais pas impossible. C'est exactement ce qui se produit en fin d'après-midi, alors que je m'attarde quelques minutes sur cette fameuse page. Un nouvel ami veut échanger avec moi !

– Salut, Joanne! Je suis Martin. Tu ne me connais pas, mais je suis un très bon ami de ta sœur! écrit-il.

– Bien sûr que je sais qui tu es, Martin! Toute la famille te connaît, depuis le temps où elle nous parle de toi!

La conversation écrite se poursuit pendant deux heures! Elle ne se termine qu'après nous être promis de nous téléphoner. Ce qu'il fait très rapidement. Nos échanges se répètent ainsi chaque jour, jusqu'à ce qu'une rencontre ait enfin lieu. Chez ma sœur, à Montréal!

Plus tard, ma sœur me raconte le jeu de coulisses qui avait lieu à mon insu pendant ma longue période de réflexion. Il semble que Martin lui faisait part avec insistance de son intention de me rencontrer. «Ce n'est pas encore le bon moment», lui disait-elle. Toute tentative serait vouée à l'échec. Elle en était profondément persuadée. Son rôle d'intermédiaire était sérieux. D'ailleurs, sans la quasi-assurance du «match parfait», elle n'aurait pas assumé ce rôle.

Aussi incroyable que cela puisse paraître, c'est ainsi que peut naître un magnifique roman d'amour. Comme quoi les expériences de célibat dans la quarantaine ne se résument pas qu'à des histoires d'horreur. Tout comme le destin des gagnants à la loterie n'est pas toujours le malheur. J'ai maintenant compris, je sais ce que veut vraiment dire «être maître de son destin».

Conclusion

*J*E RETOURNE BIENTÔT EN FLORIDE. MAIS CETTE FOIS, JE N'Y SERAI PAS seule. Je n'oublierai jamais ce moment privilégié avec mon sac de golf pour seul compagnon. Cet épisode déterminant a marqué à jamais mon existence. Il est rangé bien précieusement dans la catégorie des réussites personnelles. À l'image des premiers pas d'un enfant, j'ai fait le mien dans le monde particulier des célibataires millionnaires. Aucun mode d'emploi n'était disponible. C'est ce qui est bien avec la vie en général. S'il fallait que nous manquions toutes ces opportunités de goûter la saveur de nos expériences ! Comment pourrions-nous savourer autant le dépassement s'il n'était pas teinté d'échecs ? La vie est riche, cela n'a rien à voir avec l'argent. Je le sais, j'ai vécu des deux côtés de la clôture !

Ce voyage a signé le début de ma longue réflexion. De façon officielle seulement. Parce que, en réalité, à la seconde même où une rupture se produit, notre cerveau amorce une analyse exhaustive des causes. J'ai choisi de prolonger la période de diagnostic. Mais rapidement, les raisons de l'échec de la relation sont passées au second plan. Pour ensuite disparaître complètement. J'ai laissé toute la place à celle qui avait été sous les nuages trop longtemps. Terminé l'ombre, j'avais besoin d'air et de lumière ! Il était grandement temps d'aller jouer dehors !

C'est précisément ici qu'un billet gagnant à la loterie fait une grande différence. Ce n'est pas une révélation, on se doute que l'impact n'est pas négligeable. Mais jusqu'à quel point a-t-il modifié l'ordre des choses ? Est-ce que l'issue de cette année de réflexion aurait été différente sans les millions ? En fait, ce billet me procurait deux ressources en abondance. J'avais le temps et l'argent. Tout ce qu'il me fallait pour me permettre le luxe de me retrouver. Des amies bien nanties m'ont révélé de nouvelles façons de voir les choses. Mes loisirs, comme la voile, le golf et le ski, n'auraient probablement pas été aussi présents sans l'aisance financière. J'avais tout ce qu'il fallait pour apporter de l'eau au moulin de ma réflexion. Cependant, je reste convaincue que le compte bancaire n'est pas l'élément déterminant d'une bonne introspection. Le décor est différent, tout simplement. Et les millions n'apportent pas de réponses aux questions. Au contraire, j'ai tendance à croire qu'ils en soulèvent de nouvelles ! C'est d'ailleurs la raison pour laquelle mon premier commandement était de ne jamais divulguer quoi que ce soit du billet. Le mot « confiance » est majeur. La situation d'une célibataire dans la quarantaine est suffisamment complexe, nul besoin d'en ajouter !

Pendant une année entière, j'ai observé autour de moi. Les gens, les comportements, les croyances et les attitudes, tout était de la matière première pour mon analyse. À certains moments, je me sentais comme une chercheuse d'or. Dans tous les ruisseaux que je croisais, il semblait y avoir des objets brillants. Parfois, ils étincelaient à me rendre aveugle. Comment distinguer le vrai du faux ? C'est affreusement trompeur et tellement facile de s'y méprendre, au point où l'on se demande si l'or véritable existe vraiment. Peut-il n'être qu'une légende urbaine ? C'est justement le rôle du recul et de la réflexion. Le moment que j'ai pris pour me retrouver n'a pas été vain. En fait, prendre un temps pour soi n'est jamais une perte. Le discernement est la récompense. Et une fois qu'il est acquis, c'est pour toujours.

L'aventure a été mémorable! C'était un safari dans la jungle des modes de pensée complètement différents. Tout est possible chez ces célibataires! Ceux qui traînent leur petit bagage d'expériences passées. Les rencontres volages ont leurs adeptes. Les solitaires extrémistes ont aussi des arguments très convaincants. D'autres voient le célibat comme un transit entre deux relations. Une situation temporaire, un passage obligé. Toutes ces options sont possibles. Il suffit de choisir la bonne.

Le choix. C'est le mot que je retiens, c'est la conclusion à laquelle j'arrive à la toute fin. Les célibataires financièrement autonomes ont-ils un léger avantage? Une liberté accrue? Est-ce qu'une célibataire a plus de possibilités parce qu'elle est millionnaire? Mon expérience personnelle me confirme la réponse, hors de tout doute. Faire les bons choix ne relève pas des millions. Prendre la bonne direction dans la vie est à la portée de tout le monde. Mais ça, je le savais déjà. Il est rassurant de constater que certaines certitudes ne changent pas.

Cela met fin à mon histoire. Le temps de deux volumes, j'ai ouvert ma porte et j'ai laissé entrevoir des parcelles de ma vie. Je l'ai fait parce que certains me l'ont demandé. Et qu'il était beaucoup plus facile pour moi de la raconter en alignant des mots que des paroles. Je l'ai aussi fait parce que je sais à quel point il est bon de se reconnaître dans ce que les autres ont vécu. Parfois, il suffit d'un livre pour croire qu'après une route tortueuse, l'autoroute nous attend.

Mon histoire est celle d'une famille gagnante à la loterie. La loterie de la vie, tout simplement. Chacun a son petit coupon dans le grand baril du bonheur. Les gens sont tous gagnants, mais certains ne le savent pas. Parfois, les événements nous font prendre conscience qu'il suffit d'un seul geste pour pousser la machine dans la bonne direction. Mais ce geste, rien ne nous empêche de le faire dès maintenant. Il est d'une simplicité désarmante. Il est peut-être même dans la prochaine tasse de café, celle où l'on prend du temps pour soi, juste pour voir plus clair. C'est tout ce qu'il faut pour qu'enfin nos petits bonheurs nous sautent aux yeux.

Bien sûr, j'ai aussi raconté mes aventures parce que je savais que j'en ressortirais plus riche. Je ne parle pas d'argent, il n'est qu'un instrument pour être heureux, comme plusieurs autres. Un chèque ne garantira jamais le bonheur, peu importe le nombre de zéros qu'on y alignera. Ma plus grande richesse est de savoir d'où je viens. Mais, surtout, la direction où je mets le cap. Maintenant, il ne me reste qu'à continuer à faire ce que j'ai toujours fait: savourer pleinement les jours de soleil et garder en tête que les jours de pluie finissent toujours par passer.

En toute reconnaissance

JE TIENS À REMERCIER MA FAMILLE ET MON ENTOURAGE, CAR LEUR amour et leur affection ont joué un rôle primordial. Ils m'ont permis d'éviter de sentir l'urgence d'entrer à corps perdu dans des relations sans issue.

J'aimerais aussi remercier mes amis, avec qui les discussions animées deviennent une source inépuisable d'inspiration. Leurs yeux me permettent de voir la réalité autrement. Pour la femme, c'est enrichissant au plus haut point. Pour l'auteure, c'est inestimable.

Ma sœur a droit à mon infinie gratitude. Son bon jugement et surtout sa grande sensibilité ont fait en sorte que ce témoignage se termine… comme un conte de fées!

Autre ouvrage de Joanne Simon

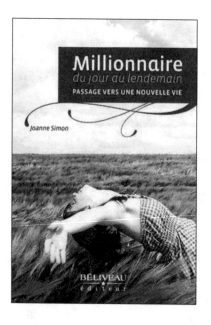

Gagner à la loterie,
est-ce que ça change vraiment le monde?

L'auteure lève le voile sur son parcours
bien particulier à la suite d'un gain important.
Ce témoignage sincère et authentique révèle
tout l'aspect humain de son cheminement pour
atteindre cet équilibre qu'on appelle le bonheur.

Un regard nouveau sur la vie
après le grand bouleversement.

264 pages - 978-2-89092-545-8